Couverture

- Photo:
  BERNARD PETIT
- Maquette:
  GAÉTAN FORCILLO
- Flacon Collection privée de madame Patricia Abitbol
- Bouquet floral Madame Lespérance

Maquette intérieure

- Conception graphique:
  GAÉTAN FORCILLO

DISTRIBUTEURS EXCLUSIFS:

- Pour le Canada:
  AGENCE DE DISTRIBUTION POPULAIRE INC.*
  955, rue Amherst, Montréal H2L 3K4 (tél.: 514-523-1182)
  *Filiale de Sogides Ltée

- Pour la France et l'Afrique:
  INTER-FORUM
  13, rue de la Glacière, 75013 Paris (tél.: 570-1180)

- Pour la Belgique, la Suisse, le Portugal, les pays de l'Est:
  S.A. VANDER
  Avenue des Volontaires, 321, 1150 Bruxelles (tél.: 02-762-0662)

Mireille Lemelin

L'art de se parfumer

- Selon les saisons • Selon son tempérament
- Selon son signe astrologique • Selon ses goûts gastronomiques

Collection dirigée par
CLAUDE LECLERC

LES PRESSES LIBRES

Bibliothèque nationale du Québec
Dépôt légal — 2e trimestre 1984

ISBN 2-89117-022-9

Remerciements

Un intense travail de recherche et de documentation m'a été rendu possible grâce à la bienveillante collaboration de:

M. Jean Dagenais Pérusse, président de Prestilux;
Mme Lise Grégoire, coordonnatrice de la production Lippens;
Mme Colette Lapierre, directeur des relations extérieures de Chanel;
Mme Louise Lacasse, directeur du marketing de Herdt & Charton;
Mme Mimi Giunta, directrice régionale de la formation de Estée Lauder;
M. Jacques Masson, vice-président de l'agence Masson;
Mlle Lise Beauchemin, attachée de presse de Cosmair;
Mme Hedwidge Fluckiger, directeur des relations publiques de Schwarzkopf;
M. Claude G. Boyer, président de Vinant;
Mme Danièle Choquette, directeur du marketing de Houbigant.

Références

Le grand livre des parfums de William Kauffman;
Comité français du parfum;
Le dictionnaire des parfums des éditions Sermadiras;
Every one's Guide to Fragrance de Patricia Blakely;
Leçon de parfum de Rochas;
Le sillage des élégantes de Marylène Delbourg, Delphis;
Zodiac 2000 de Catherine Aubier;
Grands parfums de Sanré.

Ma plus chaleureuse amitié à madame Louise Pomminville et mes remerciements émus pour les merveilleuses illustrations dont elle a paré ce volume.

*« Il y a des femmes qui ont le don d'embellir
les heures. »*

Introduction

Chaque être humain a une odeur qui lui est propre. Aussi unique et individuelle que ses empreintes digitales.

Au tout début, du temps de l'homme de Cro-Magnon et de sa Cro-Mignonne, il y eut l'odorat. Avant la vision même. Et c'est peut-être pourquoi, de tous nos sens, il est celui qui éveille en nous le plus d'émotions profondes. C'est le sens de la mémoire et du souvenir.

De grands savants se sont penchés sur la question et ont prouvé que l'attirance que l'on ressent vis-à-vis de quelqu'un dépend souvent, inconsciemment, de son odeur qui, chimiquement, s'accorde avec la nôtre.

Nous rejetons tout aussi instinctivement celui dont le signal d'odeurs ne nous est pas compatible. Avant que nos yeux ne se soient posés sur lui. Avant qu'on ne l'ait accepté ou rejeté à travers une analyse plus logique.

Voilà pourquoi le parfum a aussi un grand pouvoir de suggestion.

Il nous mène «par le bout du nez», pourrait-on dire. Il combine notre propre odeur à des essences qui en font ressortir les côtés les plus suaves et les plus attirants.

De plus il déclenche spontanément en nous et chez les autres un plaisir diffus, subtil et raffiné.

Il stimule dans l'accomplissement des gestes quotidiens. Il incite à l'action ou à la sérénité. Il confère enfin un bien être légitime. Sur fond de tendresse retenue ou d'audace doucement folle, il inscrit les trois mots:

«LUXE, CHARME ET VOLUPTÉ».

L'aromathérapie

Le docteur J.L. Jones, psychanalyste montréalais et spécialiste de l'aromathérapie, affirme qu'une odeur qui nous est agréable «a un effet direct sur nos muscles. Elle passe un message dans cette partie du cerveau responsable de notre sourire, de notre posture et de notre sens de l'enthousiasme. De sorte qu'en quelques secondes, en respirant un parfum qui nous convient, on a l'impression que la vie est plus belle... et que nous sommes à la hauteur de ce qu'elle attend de nous».

Donc, un parfum qui vous convient vous apporte une certaine confiance en vous-même. Il vous permet d'être plus conquérante à l'heure de l'action et plus ardente à l'heure de la séduction.

Le jeu de la vérité

Ce que je vous propose est un jeu: connais-toi toi-même. Il s'agit ici de faire le point sur son style de vie, ses activités prépondérantes, ses goûts instinctifs. Être capable de se dire franchement que, même si l'on projette une image de femme énergique et directe, on est au fond une grande romantique (si c'est le cas).

Il est bon de savoir si la vraie motivation de son choix est un accord intime avec son moi profond... ou avec l'image que l'on veut continuer à donner de soi.

Le guide peut servir à révéler votre être secret. Il peut aussi servir à donner le change, à dérouter, à confirmer aux autres que votre choix s'accorde avec ce que vous paraissez, alors qu'en réalité vous êtes toute autre.

C'est le jeu de la vérité en bout de ligne.

Bien sûr, il y a plus d'une femme en vous. Et la femme d'affaires équilibrée et rationnelle le midi peut très bien se transformer en amante passionnée et inventive la nuit venue.

C'est pourquoi il y a des parfums de jour et des parfums du soir... et même des parfums de nuit.

À vous de découvrir les vôtres. Vous avez entre vos mains le fil conducteur qui vous guidera à travers les mystérieux dédales des effluves bénéfiques.

Mireille Lemelin

«L'odeur est la forme la plus intense du souvenir.»

Les Égyptiens, très soucieux d'hygiène, utilisaient abondamment les huiles parfumées pour leur toilette. Le brûle-parfum était un accessoire indispensable dans la maison.

Petite histoire des parfums

Parfum vient du mot latin «per fumum», qui veut dire: à travers la fumée.

Et c'est bien à travers la fumée que se sont révélés les premiers parfums. Dans les temps les plus anciens, l'homme brûlait des racines odorantes (encens, myrrhe, styrax) en offrande à ses dieux. Et à travers la fumée qui montait au ciel, il avait l'impression que ses suppliques étaient plus agréables aux divinités et que ces effluves suaves les prédisposaient à plus d'indulgence et de bienveillance à son égard.

Égypte

En fait, les premiers fabricants de parfums ont probablement été les grands prêtres de l'Égypte ancienne. Ils étaient seuls autorisés à distribuer les huiles et les onguents odorants, dans trois buts bien précis: le culte des dieux; l'embaumement des morts; les soins à donner aux malades.

Car, déjà à cette époque, certaines maladies nerveuses étaient traitées au moyen d'épices et d'herbes réduites en poudre, dont la bonne odeur calmait les esprits agités. Cette thérapie deux fois millénaire est d'ailleurs toujours très en vogue dans la médecine parallèle moderne.

Les prêtres gardaient jalousement le secret de leurs préparations. Mais les pharaons eurent tôt fait de découvrir d'autres vertus bénéfiques à ces essences. Ils les utilisèrent alors en abondance pour leur usage personnel. Les Égyptiens étaient un peuple d'une grande propreté. Ce sont eux qui, les premiers, ont organisé un système de bains qui devait plus tard servir de modèle aux fameux thermes romains.

Après leur bain quotidien, les maîtres s'enduisaient le corps d'huile parfumée pour se préserver entre autres des effets brûlants et desséchants du soleil.

Les parfums sous forme d'onguent ont donc été les premières crèmes solaires.

Le premier grand parfum exporté fut le kyphi. Il se composait entre autres de miel, de vin, de chypre, de genêt, de safran, de genièvre, de cardamome et de roseaux aromatiques.

Lorsque l'égyptologue anglais Lord Carnarvon ouvrit le tombeau du grand Toutânkhamon, en 1922, ce baume odorant imprégnait encore les murs et le sarcophage de ce pharaon mort en 1350 avant J.-C. Il restait même des traces de cet onguent parfumé au fond des jarres funéraires.

Le kyphi fut vite adopté par les grecs et les romains. L'historien Plutarque le décrit même en ces termes: «Substance aromatique qui invite au sommeil, délivre des angoisses et favorise les rêves. C'est un mélange de choses délicieuses qui expriment toutes leurs vertus dans la nuit.»

Le kyphi fut ainsi le premier parfum du soir.

Les Égyptiens adoraient les parfums. Les hôtesses avaient pour coutume d'en répandre sous forme d'huiles odorantes sur la tête de leurs invités. Elles plaçaient sur leur propre tête des cônes d'encens qui s'écoulaient doucement sur leurs cheveux et sur leurs épaules au cours de la soirée.

Elles disposaient aussi, dans toutes leurs pièces, des boîtes perforées renfermant des aromates, pour y répandre de bonnes odeurs. Ancêtres de nos parfums d'ambiance.

La célèbre Cléopâtre, lorsqu'elle se rendit à la rencontre d'Antoine, avait fait enduire les voiles de sa barque d'huiles aromatiques. L'odeur puissante portée par le vent précédait sa venue.

Shakespeare dit dans sa tragédie «Antoine et Cléopâtre»: «Ses voiles étaient de pourpre et si parfumées que le vent était malade d'amour.» Les marins de sa barque, eux, devaient être malades tout court. Si le parfum des voiles se percevait à mille lieux à la ronde, quelle devait être l'intensité de l'odeur dans la barque même!

La modération n'étant pas la vertu principale de cette époque, on y avait probablement l'estomac plus solide!

Israël

Les Hébreux, revenant de captivité, rapportèrent dans leur pays la pratique des parfums. Tout d'abord réservés au culte pour oindre l'arche d'alliance, les substances odorantes passèrent rapidement dans la vie quotidienne.

En Judée poussent toutes sortes de plantes et d'herbes aromatiques. On les transforma vite en huiles et onguents parfumés.

Les premiers sachets parfumés remontent au temps des Hébreux. On en parle même dans le cantiques des cantiques. La poudre répandue sur les vêtements bien rangés était à base d'herbes fines et d'épices pilées réduites en poudre.

On baignait les pieds de ses visiteurs de marque d'huiles odoriférantes. La Bible relate plusieurs circonstances où Jésus est honoré de cette manière.

Mais les parfums les plus coûteux et les plus rares étaient réservés à l'heure du lit. Dans le Livre des prophètes, chap. VII, verset 17, on peut lire: «J'ai parfumé ma couche de myrrhe, d'aloès et de cinnamome.» Ces essences, à l'époque, étaient hors de prix.

LE PREMIER MARCHÉ DES PARFUMS S'EST TENU À BABYLONE EN 650 AVANT J.-C.

Là, dans la plupart des demeures brûlaient des huiles aromatiques et les Assyriens enduisaient tout leur corps d'huiles parfumées.

Grèce

Alexandre le Grand, d'abord réticent, fut un fervent adepte de cette aimable habitude des conquis. Il faisait asperger le sol de ses appartements de myrrhe et autres essences. Les tuniques de ce grand militaire étaient imprégnées de ces senteurs.

Les dix premiers d'Athènes avaient même poussé le «raffinement» jusqu'à un rite spécial de la toilette. Ils s'enduisaient les cheveux et les sourcils de marjolaine; les bras d'essence de menthe; la poitrine d'huile de palme et de violette; les genoux de thym; les cuisses et la plante des pieds de myrrhe. Certains athlètes faisaient de même. Repas vivant à consommer sur place!

Rome

Les Romains ayant conquis les Grecs à leur tour, ils portèrent l'art de la parfumerie à son plus haut degré d'excentricité.

Non seulement s'enduisait-on d'huiles parfumées de la tête aux pieds, mais on en versait aussi dans son bain. On en vaporisait ses vêtements. On en enduisait aussi sa couche et les murs de sa demeure. Les bannières militaires étaient imprégnées d'odeurs suaves. Le camouflage n'était sûrement pas à l'ordre du jour!

Dans la ville de Capoue, une rue entière était réservée aux vendeurs de parfums.

Dans cette ville, les matières premières importées d'Égypte et d'Arabie pour la composition des parfums étaient si coûteuses, qu'on déshabillait et fouillait les esclaves des laboratoires avant qu'ils ne rentrent chez eux pour la nuit. Cela pour être sûr qu'ils ne subtilisaient pas quelques grains précieux d'une essence rare. On fait de même aujourd'hui avec les travailleurs des mines de diamant en Afrique du Sud. Les valeurs ont bien changé!

Néron, au cours de ses festins, faisait couler du plafond, le long de tuyaux d'argent, des parfums précieux qui se répandaient sur la foule des dîneurs. Il avait même fait aménager des niches secrètes dans les parois des murs. Elles s'ouvraient pour laisser s'écouler des milliers de pétales de roses qui jonchaient le sol et les couches des convives.

Arabie

Les Arabes apprirent des Grecs l'art de la chimie. Mais ils allèrent bien plus loin dans le procédé de l'extraction. C'est à un Arabe, le médecin Avicenna, que l'on doit sans doute la première extraction d'huile de fleurs, au moyen d'un alambic. Il fut, dit-on, *le premier à fabriquer la célèbre «eau de rose»* toujours populaire de nos jours.

De 1700 avant J.-C. et jusqu'au XVIe siècle de notre ère, l'Arabie fut le jardin embaumé du monde entier. De partout, on s'y approvisionnait en essences aromatiques: encens, myrrhe et fleurs de toutes sortes.

PUIS, AU MOYEN-ÂGE, CE SONT LES CROISÉS. QUI D'ARABIE ET DE PALESTINE, REVENANT DES GUERRES SAINTES, RAPPORTÈRENT L'USAGE DES PARFUMS EN EUROPE.

Mais seules quelques châtelaines privilégiées en recevaient de leurs beaux chevaliers.

France

Catherine de Médicis, au XVIe siècle, introduisit, d'Italie en France, la pratique des gants parfumés qui allait déclencher à Grasse la plus grande industrie mondiale des parfums.

En Italie et en Espagne on enduisait déjà le cuir fin des gants d'essence de violette, de fleurs d'oranger ou d'ambre, pour masquer l'âcre odeur des peausseries.

L'engouement pour les essences parfumées se répandit avec une fulgurante rapidité.

Sous Louis XIII, chaque dame de la cour a un parfum personnel qui la distingue. Sa formule en est gardée aussi confidentiellement que le secret de la confession. Elle parfume de cette essence qui lui est propre, ses vêtements, les coussins de son carosse, ses perruques, ses bagues et bien sûr son lit.

Louis XIV a horreur des parfums pour les hommes, mais les respire avec délices auprès des femmes. Heureusement. Car la population de près de 40,000 âmes vivant à Versailles, ce somptueux palais sans eau courante et sans cabinet d'aisance, avait besoin pour couvrir les odeurs nauséabondes qui filtraient derrière les immenses rideaux de velours (où se déchargeait la noblesse, lorsque les besoins se faisaient trop pressants), d'odeurs un peu plus florales et boisées, pour masquer celles des boiseries empestées!

Sous Louis XV, le Bien-Aimé, on baptisa sa suite: Cour parfumée. L'étiquette prévoyait un parfum différent pour chaque jour de la semaine!

Madame de Pompadour, une de ses favorites, dépensait, dit la rumeur, plus de 100,000$ de notre argent actuel par année pour satisfaire sa passion des parfums... Le petit peuple, lui, mourrait de faim.

La du Barry, dernière maîtresse de Louis XV, lança la vogue de l'eau de Cologne... que l'on réserve de nos jours à la gent masculine.

Marie-Antoinette avait son parfumeur attitré. Il flattait ses goûts pour le jasmin et la violette.

Plus tard, vers 1810, *Napoléon*, un inconditionnel de l'eau de Cologne *4711* que l'on trouve encore de nos jours, distribuée par Payot (vous pouvez vous permettre des goûts d'empereur), avait aussi une attirance prononcée pour la violette.

De nos jours, il aurait pu offrir à Joséphine: *7ième sens* de Sonia Rykiel; *1000* de Jean Patou et *Missoni* qui tous en recèlent.

Mais à sa mort à l'Île Sainte-Hélène, il demanda que se consument, dans un brûle-parfum, deux pastilles de tubéreuse d'Houbigant.

Le XIXᵉ siècle voit la prolifération des grandes maisons de parfumeurs... pour le plus grand plaisir des belles.

Joséphine de Beauharnais, impératrice des français, raffolait pour sa part du musc, une odeur au pouvoir aphrodisiaque reconnu. Elle en parfumait ses draps, les tentures de sa chambre, ses vêtements. Plus de cent ans après sa disparition, en visitant sa chambre, au château de Malmaison, on peut nettement percevoir cette senteur pénétrante, d'une ténacité remarquable.

La fin du XVIIIe siècle et le début du XIXe voit la prolifération de grandes maisons de parfumeurs dont certaines ont pris une expansion glorieuse jusqu'à nos jours:

Houbigant, 1775. Parfumeur attitré des royautés d'Europe. Dans ses livres de comptes on peut lire entre autres les noms de Joséphine de Beauharnais; de la reine Victoria (on exporte); de l'impératrice Eugénie; du tsar Alexandre III.

Lubin, 1798, qui inonde bellement toutes les grandes cours du XIXe siècle.

Roger & Gallet, 1806, qui inaugure sa lancée avec son eau de Cologne Jean-Marie Farina, toujours en usage de nos jours.

Molinard, 1849. La seule maison à fabriquer entièrement ses parfums de nos jours.

Guerlain, 1853, qui débute avec la fameuse eau de Cologne Impériale, créée en l'honneur de l'impératrice Eugénie.

On peut toujours se la procurer aujourd'hui. Son odeur de citronnelle légèremené acidulée la réserve cependant plus à la jupette de tennis qu'aux crinolines des galas.

La célèbre «Eau de Cologne Impériale» créée pour l'impératrice Eugénie, par Guerlain.

À la fin du XIXe siècle, on assiste à la naissance de la parfumerie moderne avec l'intégration des substances chimiques dans les composants.

Le premier grand parfum moderne à utiliser un produit de synthèse (la vanilline) est Jicky de Guerlain, en 1889.

Les parfums Guerlain sont tous créés par les propriétaires, de père en fils. Il comptent à leur actif certains des plus beaux fleurons de la parfumerie française dont: L'Heure Bleue, 1912; Mitsouko, 1916; Shalimar, 1921; Chant d'Arômes, 1962.

Amérique

Aux premiers temps de la colonie, les pouvoirs de communication étant restreints, on se limitait surtout à la lavande et à l'eau de Floride, mélange d'eau de lavande, de Cologne, d'huile de girofle, de cassis et de lemongrass.

Les femmes plus fortunées portaient entre leurs seins, maintenue par les baleines du corset, une petite fiole en forme de poire, sans bouchon, qui laissait s'évaporer des effluves d'iris, pour les blondes, et de violette, pour les brunes.

Harriet Hubbard Ayer, une pionnière de la beauté aux États-Unis, écrivit tout un chapitre sur «L'abus des parfums» (qui vous font succomber d'inanition au théâtre)... «La modération a bien meilleur goût!»

Et l'Histoire se répète. La diffusion des parfums d'un peuple à un autre s'est toujours perpétrée à travers les conquêtes militaires. *Au retour de la Première Guerre mondiale*, les G.I. reviennent les valises bourrées de parfums du «gay Paris» pour leurs dulcinées... et tout le Nouveau Monde «se mit au parfum». C'est depuis dans l'air du temps.

Par un juste retour des choses cependant, *c'est aux États-Unis que naît le super-boum de la parfumerie pour hommes avec «Brut» de Fabergé* et toute la ligne *Aramis de Lauder*. Par contrecoup, cela a donné un nouvel essor à la parfumerie française pour les lignes masculines. Mais là n'est pas notre propos.

Ce livre est réservé aux «parfums pour femmes». Comment trouver ceux qui vous plaisent, mesdames et mesdemoiselles. Choisir ceux qui imposeront discrètement votre personnalité. Découvrir ceux avec lesquels vous lierez amitié... ou déclencherez une grande histoire d'amour.

Nous vous donnerons peut-être rendez-vous pour une suite sur «la beauté mâle» dans un avenir rapproché.

«*Un parfum tout à coup engendre le désir
de l'aspirer encore. Il excite une soif
insatiable de boire par les narines, jusqu'au
plus profond de nous-mêmes, le flux des
délices qu'il crée.*»

Paul Valéry

Il peut s'ensuivre une douce complicité.

Portrait d'un parfum

Le parfum est un être vivant composé d'une tête, d'un coeur... et d'une base.

Lorsqu'il sort de son flacon, un peu comme le bon génie de la lampe d'Aladin, il pointe d'abord l'oreille. Puis il laisse entrevoir une partie de son corps (voluptueux ou gracile, selon le génie) et enfin, se présente à vous dans toute sa splendeur, pour la plus grande jouissance de votre troisième sens, qui est aussi celui de l'imagination.

Ses notes de tête
sont les premières à paraître. Le jeu se fait entre lui et vous. C'est la première impression qu'il vous permet de percevoir de sa composition. Ces notes sont en général vertes ou fruitées et vous laissent deviner le genre.

Mais attention. Cette envolée est fortement imprégnée d'alcool, le constituant le plus volatil du parfum. La première odeur qui s'échappe, sitôt le bouchon soulevé. Attendez une minute ou deux avant d'en respirer sur vous l'appel véritable.

Ses notes de coeur

en fait, apportent le corps complet des arômes qui se développeront sur votre peau au fil des heures. C'est une harmonie équilibrée, souvent florale où s'épanouit la note dominante, la note de caractère de votre parfum. Elle n'arrive qu'environ dix minutes après l'application. C'est pourquoi il faut laisser le parfum faire connaissance avec votre peau, avant de vous prononcer sur vos affinités électives.

Ses notes de fond

constituent le sillage durable qui persiste. Il est souvent à base de musc, d'ambre ou de mousse de chêne, tous des éléments fixateurs tenaces. Ce sont ces notes qui stabilisent un parfum et qui permettent une meilleure diffusion de la fragrance. Elles n'apparaissent qu'au bout de trente minutes. Mais alors vous respirez votre parfum dans toute sa plénitude.

La distillation

« *Il est des parfums frais*
comme des chairs d'enfants
Doux comme les hautbois,
verts comme les prairies
Et d'autres corrompus, riches et triomphants
Ayant l'expansion des choses infinies
Comme l'ambre, le musc,
le benjoin et l'encens
Qui chantent les transports
de l'esprit et des sens. »

Charles Baudelaire

Le mystère éclairci

Que renferme votre parfum?

Les matières premières qui entrent dans la composition de votre parfum se comptent par centaines, côté produits naturels et par milliers côté produits de synthèse.

Les produits naturels viennent du monde entier: ambre de l'océan Indien; cèdre du Kenya; galbanum (résine) de la Perse. Elles sont souvent rares et difficiles à recueillir.

Bien sûr il y a des fleurs. Mais tant d'autres ingrédients qu'il vaut la peine de dresser un tableau des principaux pour voir déjà où s'orientent vos préférences.

D'abord les substances naturelles d'origine végétale:

1- FLEURS: ex.: rose; jacinthe; narcisse.

2- FEUILLES: ex.: patchouli (Indonésie); verveine; sauge.

3- FRUITS: ex.: citron (Californie); bergamote (Calabre); mandarine (Italie).

4- GRAINES: ex.: ambrette (graines d'Hibiscus, Antilles); coriandre (Russie); fève Tonka (Venezuela).

5- BOIS: ex.: cèdre (Kenya); santal (Inde); bois de rose.

6- ÉCORCES: ex.: cannelle (Madagascar); bouleau (Canada).

7- ÉPICES: ex.: girofle; piment; muscade.

8- GOMMES: ex.: baume de Tolu; benjoin (Siam); galbanum (Perse).

9- GOMMES-RÉSINES: ex.: encens; styrax (Orient); opopanax (Abyssinie).

10- RACINES: ex.: vétiver (Java); Rhizomes: iris (Florence).

11- MOUSSES: ex: mousse de chêne (Yougoslavie).

12- HERBES AROMATIQUES: ex.: thym; romarin; menthe.

Substances naturelles d'origine animale

AMBRE GRIS: il vient des secrétions intestinales que crache le cachalot autour de lui et qui flottent à la surface de la mer. (Océan Indien).

CIVETTE: substance brunâtre et molle qui se trouve dans une cavité proche des parties sexuelles du chat musqué. (Abyssinie).

MUSC: sécrétion renfermée dans une poche sous le ventre du chevrotin. (Tibet).

CASTOREUM: sécrétion renfermée dans une poche près de l'anus du castor. (Russie, Canada).

Substances de synthèse

Elles permettent d'enrichir à l'infini la palette du compositeur-parfumeur et de reproduire, dans un parfum, des odeurs de fleurs naturelles qui refusent de laisser distiller leur parfum une fois cueillies. C'est le cas entre autre du muguet, du lilas et de l'héliotrope.

Les aldéhydes (alcools déshydrogénés) sont les plus employés des produits de synthèse. Ils ajoutent un prodigieux pouvoir de diffusion aux autres composants de la fragrance et lui apportent son originalité et sa stabilité.

Le croiriez-vous, dans un seul parfum il entre parfois mille composants! Cela rend le choix difficile. Heureusement, il y a les notes dominantes qui définissent davantage un parfum. Pour simplifier un peu plus votre tâche, au moment de la décision, nous allons diviser les parfums en 6 grandes familles principales:

Mystère de Rochas. Un très beau flacon à ellipse créé par Serge Mansau.

LES FLEURIS: leurs note dominante évoque l'odeur d'une ou de plusieurs fleurs. Ex.: Diorissimo de Dior.

LES AMBRÉS: obtenus à partir de la substance de l'ambre gris, à l'origine. Ils sont plus corsés, plus chauds, plus sensuels. Ex.: Magie Noire de Lancôme.

LES CHYPRÉS: constitués autour d'un accord de mousse d'arbre. Leurs tonalité est plus habillée, plus classique, plus couture. Ex.: «Y» de St Laurent.

LES VERTS: ils évoquent l'odeur dégagée par certaines feuilles, herbes, tiges ou fruits acides. Ex.: Vent vert de Balmain. Ils portent à l'action.

LES BOISÉS: obtenus à partir des extraits de racines, de bois et d'aiguilles. Utilisés surtout dans la parfumerie pour homme, ils conviennent très bien à la fourrure. Ex.: Detchema de Revillon.

LES ÉPICÉS: ayant dans leur composition une ou plusieurs herbes épicées ou encore l'oeillet. Ces parfums ont une note provocante, intrigante. Ex.: Jicky de Guerlain.

«Un nouveau parfum fait plus pour le bonheur de l'humanité que la découverte d'une nouvelle étoile.»

Les effluves embaumés d'une forêt tropicale vus par le «douanier Rousseau».

Tous les jardins du monde en bouteille

Un parfum c'est de l'espoir et du rêve en flacon... et qui s'achète. Parfois à prix d'or, pensez-vous.

Mais lorsqu'on découvre ce qu'il a fallu de recherches, de labeur, de longs voyages pour que se lovent derrière votre oreille la douceur du jasmin, la fraîcheur de la rose, le charme du néroli, la finesse de la jonquille ou l'équivoque de la tubéreuse, l'oeuvre n'a plus de prix.

On est allé chercher dans tous les coins les plus reculés du globe, les essences précieuses qui la composent. Le vétiver vient de Java. La coriandre de Russie. La vanille de Madagascar ou des Antilles. La mousse de chêne de Yougoslavie. Le patchouli d'Indonésie. Sans parler de l'ambre, du musc et de la civette, indispensables aux bases des grands parfums et qui sont recueillis dans des contrées aussi lointaines que le Tibet et que l'Abyssinie.

Et que dire maintenant de la méthode de cueillette de certaines fleurs naturelles qui ne peuvent être totalement remplacées par des produits de synthèse? J'ai glané pour vous quelques tours de force dans ce domaine.

Pour obtenir *l'Absolu de roses*, dont le plus recherché vient de la célèbre vallée des Roses de Bulgarie, il faut cueillir à la main, à l'orée du jour et seulement en mai et au début juin... 3,500 kilos de fleurs de rosiers pour produire un seul kilo d'huile pure de rose de Bulgarie.

L'essence de jasmin, dont la meilleure vient de Grasse, est la plus coûteuse au monde. On comprend mieux pourquoi, lorsqu'on réalise qu'il faut 250 cueilleuses expérimentées, travaillant sans arrêt du lever du soleil à midi, pour ramener les 700 kilos de fleurs nécessaires à produire un seul kilo d'essence.

Les merveilleux champs de fleurs de Grasse.

Sachant qu'il faut 6,000 fleurs de jasmin pour un kilo, il faut donc 4,200,000 fleurs, pour récolter les 700 kilos de fleurs qui se résorberont en un seul kilo de cette huile odorante! De plus, il faut attendre deux ans avant que l'arbuste ne soit en état de produire. Et la saison est limitée de juillet à octobre! On comprend alors pourquoi l'absolu de jasmin se vend 8,000$ le kilo.

Cela prend 800 kilos de *fleurs d'oranger* pour produire un kilo d'huile pure. Et comme la plupart des arbustes odorants, on ne peut cueillir ses pétales que dans l'avant-midi, alors que leur pouvoir de diffusion est à son apogée. À midi les fleurs ont déjà perdu plus de la moitié de leur pouvoir parfumant.

L'ylang-ylang fait exception à la règle. Cet arbre de Java et des Philippines a environ 60 pieds de hauteur. Il donne le meilleur de sa production au milieu de la nuit.

C'est à ce moment qu'il faut aller recueillir les grandes fleurs jaunes les mieux écloses pour une qualité d'huile supérieure. En mai et juin seulement.

Quant à la *tubéreuse* dont la demande est de plus en plus forte, surtout en Amérique du Nord, pour son odeur pénétrante et persistante, on la trouve en majeure partie dans le sud de la France et à Mexico. Mais il faut attendre que la plante ait atteint la hauteur de trois ou quatre pieds, et les mois d'août, septembre et octobre, pour en cueillir les fleurs. Chaque jour la plante produit une seule paire de fleurs, autour de midi. Sitôt écloses elles doivent être immédiatement cueillies, car leur fragrance est de courte durée. Imaginez le nombre de plants qu'il faut posséder pour totaliser un kilo de fleurs!

Et ceci n'est que la première étape d'un long processus qui, à travers la manipulation, le transport, les méthodes de distillation ou d'enfleurage amèneront les matières premières traitées rejoindre les produits de synthèse sur la table de travail du «nez».

Ce «nez» est l'artiste qui, à travers près de 6000 composantes, choisira, après deux ou trois ans de longues expérimentations, parfois même 10 ans, les deux ou trois cents qui entreront dans la fabrication de votre parfum de prédilection.

ALPHA 1 de Fernand Aubry est composé de 150 essences naturelles.

FLORA DANICA renferme 284 essences de fleurs originaires du Danemark.

VOLCAN D'AMOUR d'Ira de Furstenberg contient 300 ingrédients rares.

HALSTON, pas moins de 600 essences rares.

Le parfum est un des produits les plus sophistiqués et les plus perfectionnés de notre vingtième siècle. Il n'a pas de prix.

L'alchimiste du «nez» est parfois une femme. Devrait-on dire «une nez»?

«Les flacons sont des corps propices à la caresse, harmonieux, sensuels et magiques, qui tiennent captif le génie des parfums.»

La conception d'un flacon. Une étape importante de la fabrication du concept parfum.

Les flacons

Votre parfum n'est pas seulement un effluve qui vous permet d'être bien. D'être bellement vous-même. C'est très souvent une oeuvre d'art, par son flacon.

Il en est de sublimes, qui ont démarré des collections de prestige. Au cours de la superbe exposition «Histoire inachevée d'un siècle parfumé», organisée au Pavillon de France de Terre des Hommes par l'Association des Parfumeurs Français en 1980, on a pu admirer des pièces uniques.

49

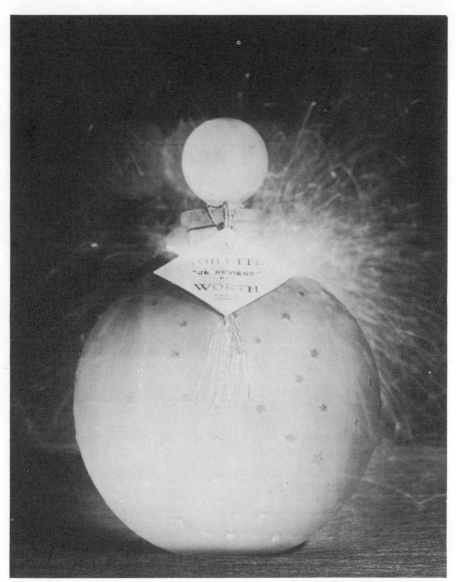

La célèbre boule givrée bleu de nuit de «Je reviens» de Worth créée par Lalique.

Certains flacons en pur cristal Lalique, créés pour les premiers parfums de Coty, étaient de purs chef-d'oeuvre. La boule givrée, bleu de nuit, incrustée d'étoiles de «Je Reviens» de Worth, suscitait bien des désirs.

Depuis un siècle de grands peintres, comme Dali pour Marquay ou Foujita pour Isabey (jamais venu jusqu'à nous), des sculpteurs comme Giacometti pour Guerlain, de grands architectes comme Louis Sue pour «Joy» de Patou, ont conçu de mini-sculptures raffinées pour certains flacons de luxe.

Plus près de nous, les célèbres *Pierre Dinand*: «Ivoire» de Balmain; «Nocturnes» de Caron; «Métal» de Paco Rabanne; «Opium» de St-Laurent; et *Serge Mansau*: «Infini» de Caron; «Mystère» de Rochas et «Vivre» de Molyneux, ont créé un nouveau secteur de l'art dans le flaconnage.

Un art pourtant pratiqué depuis des millénaires. La ciselure de beaux objets destinés à servir de contenants aux essences parfumés remonte aux civilisations de l'Antiquité.

À ce moment, les vases destinés à recevoir les précieuses pommades étaient d'albâtre, de jade, de métaux précieux. Plus tard l'ivoire prit la relève. Puis le cristal le plus pur. La porcelaine de Sèvres ou de Saxe, souvent ornée de pierres précieuses. On para les cabochons d'oiseaux, d'anges enguirlandés. On peignit des paysages et des portraits, à la main, sur émail pour contenir les parfums de toutes les royautés d'Europe.

Aujourd'hui on a épuré les formes et les couleurs. Certains flacons sont encore peints de fleurs délicates, comme «Pavlova» (Pavot); «Flora Danica»; «Les Fleurs» (Ashley). Mais on situe surtout le luxe dans la

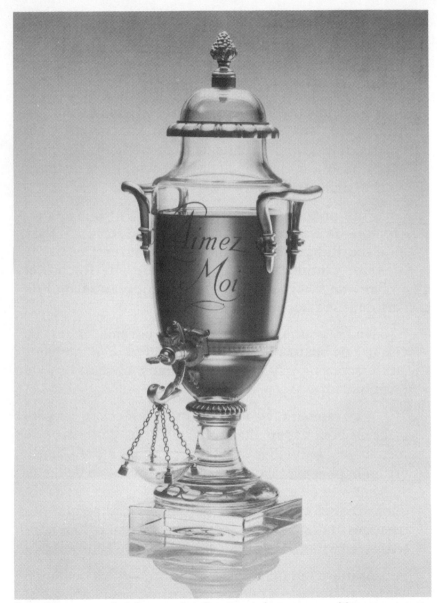

Splendide urne, réminiscence des flacons anciens en exposition permanente dans les Boutiques Caron. La plus récente ouvre cet été à Toronto.

qualité d'un Baccarat tel: «Métal», de Paco Rabanne; «Joy», de Patou, ou d'un Lalique: tous les Ricci; «Molinard» de Molinard.

On recherche davantage aussi les formes architecturales: «Armani»; «Missoni»; «Yendi» de Capucci. Ou alors on met toutes les ressources d'une exquise fantaisie dans la sculpture du cabochon: «L'air du temps» de Nina Ricci et ses célèbres colombes; «Chloé» de Lagerfeld et son envol d'arum; «J'ai osé» de Guy Laroche et ses cornes de taureau stylisées, symbole de toutes les audaces. Ou encore on donne carrément dans la taille du joyau: «7ième Sens» de Sonia Rykiel; «Paris» de St Laurent; «Halston».

Les États-Unis visant surtout le marché de masse offrent peu d'exemples d'innovation dans le domaine du flacon. Au Québec, Lise Watier avec «Harmonies» a cependant apporté beaucoup de finesse à sa présentation.

L'idée de posséder une oeuvre de beauté motive souvent le choix d'un parfum. Et il est un troisième élément non négligeable qui entre en ligne de compte dans l'attrait: le vocable.

Car le parfum est une oeuvre d'art à trois titres. Il se respire, se contemple... et s'écoute, par le nom qu'on se plaît à lui donner.

Le choix se fait surtout sur l'effluve. Le flacon a remporté les dernières résistances. Mais il arrive souvent que le nom ait servi de premier appât.

Il est plus amusant, plus intrigant ou plus poétique de dire je porte «Grain de Folie» ou «Mystère», ou «Chant d'arômes», que de lancer strictement un nom froid, fut-il celui d'un grand couturier.

Les derniers nés des parfums français ont tous un prénom qui éveille une ambiance: «Clair de Jour»; «Prélude»; «Envol»; «Paris»; «Shéhérazade».

On s'habille déjà le coeur du titre d'un parfum.

Shéhérazade. On s'habille déjà le coeur du titre d'un parfum.

*« Vécu consciemment, le parfum est un
élément de communication. Il permet de
dire les choses, sans utiliser les mots. »*

Jacques Polge (Chanel)

Le langage des parfums

Le parfum que vous portez diffuse un message. Celui de votre bien-être, de votre état d'âme... si vous avez su le choisir. Il met en lumière les motivations de ce choix et livre, par son simple sillage, une grande part de vous-même: votre goût pour la simplicité ou la somptuosité; pour la concentration ou la gaieté; pour la fougue ou la tendresse.

Il laisse comprendre à l'autre que vous le désirez subtil, sensible, racé. Ou encore, enjoué, espiègle, tonique. Ou précisément viril, audacieux, entreprenant.

Tout ce petit dialogue se glisse subrepticement dans votre sillage. Voici à titre dexemple dix mini-déclarations, muettes, mais bien présentes, susurrées par dix parfums différents.

CHLOÉ DE LAGERFELD

«Je suis à l'heure de l'élégance, du raffinement, de l'harmonie... cette harmonie que j'aimerais établir avec vous.»

J'AI OSÉ DE GUY LAROCHE

«Emmenez-moi au bout du monde. Je suis prête à tous les égarements... pourvu qu'ils soient sublimes. Osez... à votre tour!»

Opium pour celles qui s'adonnent à leurs passions profondes.

PAVLOVA DE PAYOT

«Ce soir j'ai l'âme à la tendresse.»

OPIUM DE ST LAURENT

«Je me sens sensuelle, ardente et volcanique. Faites-moi vibrer!»

RIVE GAUCHE DE ST LAURENT

«J'ai envie de m'éclater. Il y a du dynamisme dans l'air. Je me sens pleine d'audace. Si vous en êtes aux propositions, faites-les, c'est l'heure!»

7IÈME SENS DE SONIA RYKIEL

«La nuit est faite pour aimer. Assez de temps perdu. J'aimerais vous entendre dire: «Je suis dangereusement en forme.»

VENT VERT DE BALMAIN

«Jeune! Je me sens jeune. Et gaie. Assez de sérieux. Déridons-nous. Étonnez-moi!»

MUST DE CARTIER

«Ce soir je veux être belle pour cette soirée de gala. J'ai mis mes plus beaux atours. Admirez-moi un peu... vous me déshabillerez plus tard.»

MAGIE NOIRE DE LANCÔME

«Je suis sous le coup d'un envoûtement. La magie est dans l'air. Tout peut arriver. Il n'en tient qu'à vous que ce soit agréable.»

VIVRE DE MOLYNEUX

«Je suis en pleine forme. En pleine possession de mes moyens. Prête pour l'action. Secondez-moi. À nous deux nous ferons des merveilles.»

Magie Noire de Lancôme. Le coup de l'envoûtement.

Vivre de Molyneux. À nous deux, nous ferons des merveilles!

Le parfum est un ambassadeur qui devance les propos et en dit plus que ce qui est permis en parole.

Bien sûr le petit monologue peut avoir de légères variantes. Mais le fond reste le même. Car un parfum de qualité est toujours inspiré par un certain type de femmes. Il est souvent créé pour un environnement bien défini. Pour un secteur d'activités aussi.

Celui qui le choisit correspond à cette image. Ou veut s'identifier à elle. Et cette image transporte son message.

De nos jours on se parfume d'abord pour soi. Mais aussi pour plaire aux autres... et à l'autre. L'autre d'ailleurs n'est pas toujours dans le tableau. Alors si le message passe, il risque d'être intercepté par... un autre.

Si cet autre peut le décoder, il a alors accès à une partie de votre moi intime. Une part de vous-même lui est révélée. Il peut s'ensuivre une douce complicité. Une porte ouverte sur l'aventure... un esprit toujours présent dans le port d'un parfum.

Séduire n'a rien de péjoratif. Cela signifie plaire. Être acceptée. Produire des ondes positives. Créer un climat d'harmonie, de sérénité, de charme. Ce n'est là qu'une partie du dialogue que votre parfum établit entre votre entourage et vous, s'il est bien choisi... et bien dosé.

«Pour choisir un parfum, il faut suivre d'abord une première impression où se mêlent le jugement, un certain sens esthétique et de l'imagination. Alors, si l'on a bien choisi, on met la dernière touche à une harmonie si parfaite, si subtile entre une femme et son parfum, qu'elle crée la chaleur de la vie.»

Robert Ricci, président de Nina Ricci.

L'art de l'essai

Tout d'abord faisons le point une fois pour toutes sur le problème suivant: il n'y a pas vraiment de parfum de brune ou de blonde. Mais comme le parfum entre en réaction chimique avec la peau aussitôt qu'on l'applique au creux du poignet ou derrière le lobe de l'oreille, il faut prendre en considération la texture de cette peau.

En général, les blondes ont la peau plus claire, plus fine, plus fragile.

Les brunes ont par contre la peau plus foncée, plus épaisse, plus résistante. On parle toujours en général.

Un même parfum réagira différemment sur ces deux types de peau. Mais la teinte des cheveux, en soi, surtout avec les teintures si perfectionnées et si trompeuses d'aujourd'hui, n'a rien à y voir.

Donc, vous voilà, brune ou blonde, en face de ce comptoir des parfums où vous attirent les noms exotiques ou les splendides flacons de plus de deux cents différentes effluves.

Comment procéder pour ressortir de cet antre des merveilles avec l'essence rare qui vous plaira infiniment. Le parfum propre à exalter votre personnalité.

Tout d'abord, une règle d'or. *Ne respirez jamais l'odeur d'un parfum directement de son flacon.* L'alcool qu'il contient et qui est plus volatil que les autres substances vous montera tout de suite au nez. Vous aurez une idée tout à fait faussée de la vraie teneur de cette fragrance.

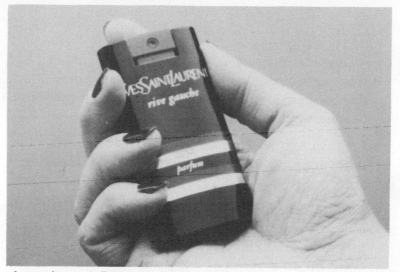

Gardez toujours un flacon-sac au cours de la journée. L'ingénieux réceptacle plat de Rive Gauche d'Yves St Laurent est une merveille du genre.

Évitez de vaporiser ce parfum dans le triangle olfatique qui va de votre nez aux deux extrémités de vos épaules. Il étouffera alors votre odorat et vous ne respirerez que ses notes de tête, celles qui ne sont qu'un avant-goût de son âme véritable.

N'essayez jamais plus de trois parfums à la fois. Votre odorat sera en pleine confusion et vous ne saurez plus à quelle narine vous vouer!

Ne superposez jamais deux parfums. Voyez un peu ce que donneraient Le Sacre du Printemps de Stavinsky et un Prélude de Chopin joués en même temps. Une véritable cacophonie peut se déclencher dans le domaine de l'odorat entre deux accords de parfums aux notes incompatibles.

N'essayez pas un nouveau parfum sur le tissu de votre robe ou de votre manteau. Ses composés peuvent mal réagir avec les fibres synthétiques.

Maintenant que l'on sait ce qu'il faut éviter, procédons par ordre:

- Vaporisez légèrement le nouveau parfum à l'intérieur de votre poignet ou au creux de votre coude. Ce sont deux des points de pulsation qui permettent à la fragrance de s'exhalter plus vite.

- Ne respirez pas tout de suite. Laissez lui au moins deux minutes pour se familiariser avec l'alchimie de votre peau.

- Respirez ensuite. Vous aurez alors la révélation des notes de têtes de votre parfum. Celles qui vous permettent de détecter si c'est un floral, un fruité, un boisé ou un ambré par exemple.

- Mais ce n'est qu'après dix bonnes minutes que vous respirerez vraiment le coeur de votre parfum. S'il vous plaît à ce moment-là, c'est qu'il correspond à votre nature profonde. Il est racé, pétillant ou puissant. Il est original, a du caractère ou une insinuante douceur. C'est à ce moment-là que vous connaîtrez votre affinité avec son message. Que s'établira la vraie complicité.

- Les notes de fond viendront se révéler plus tard. Ce sont elles qui permettent au bouquet de s'épanouir en plénitude. Elles renforcent et sous-tendent le style bien défini du parfum et lui apportent sa durabilité et une meilleure diffusion.

- Vous n'avez bien sûr pas à rester debout devant le comptoir de parfums pendant tout ce temps. Allez faire vos emplettes, donnez un coup de téléphone, faites du lèche-vitrine. Si le parfum vous va, vous venez peut-être d'amorcer une longue histoire d'amour entre vous et lui. Ca vaut la peine d'y consacrer dix bonnes minutes de préparatifs. D'autant plus qu'il provoquera sûrement dans votre entourage la bise amicale ou le baiser passionné... c'est selon.

Si le parfum vous va, vous venez d'amorcer une longue histoire d'amour entre vous
et lui.

• Oh! un dernier conseil. Allez toujours essayer un nouveau parfum avant le lunch ou le dîner. Jamais après. Ce que vous mangez, vous le verrez bientôt dans un chapitre suivant, influe sur la chimie de votre peau. Et spécialement après un repas bien épicé et bien arrosé, vous risquez d'avoir l'odorat assez atrophié et bien peu apte à détecter toutes les nuances de votre nouveau compagnon de route.

Si vous avez su choisir, il s'établira une intime communion entre vous et vos parfums qui ne réagiront jamais sur aucune autre peau, comme ils réagissent sur la vôtre et qui vous permettront de vous distinguer, vous, parmi toutes les autres par l'affirmation de votre caractère, de vos goûts et de vos tendances.

Vous ferez plusieurs tentatives plus ou moins fructueuses. Il faut prendre du temps avant de se décider à choisir ce qui devient une sorte de «deuxième peau», pour un bon bout de chemin. Les choses de grande valeur sont difficiles à acquérir. On jouit d'autant plus de leur possession après.

Note de l'auteur: On prie les manufacturiers de pourvoir leur comptoir d'une multitude de formats d'essai. On se fait une idée juste de la personnalité d'un parfum en le portant au moins un jour ou deux. C'est votre meilleur outil de vente et notre meilleur guide.

«La femme qui choisit un parfum obéit à son instinct. Elle choisit sur la base de ses goûts, en fonction de la projection de sa personnalité sur le cercle de ses amis. Il est essentiel que le parfum qu'elle adopte provoque dans l'atmosphère où elle baigne une sorte de choc psychologique et sensoriel qui touche simultanément l'esprit et les sens.»

Bernard T. Picot, Parfums Christian Dior.

Cette élégante de 1927 habillée par Revillon, qui n'avait pas encore son parfum, portait peut-être «Zibeline» de Weil, créé la même année.

L'art du choix

Se parfumer selon l'heure et les saisons

Pour garder longtemps le même parfum, il faudrait toujours être égale à nous-même. De saison en saison. Au fil des années. Cela est presque impossible et risquerait en plus d'être fort ennuyeux.

Le parfum identifie ce que nous sommes. Il doit donc être choisi en fonction de notre style, de nos occupations du moment, de la saison où on le porte.

C'est un accessoire. Peut-être le plus important de notre garde-robe. Et de la même façon qu'on ne songerait pas à porter un collier de perles avec un short de tennis, ni des boucles d'oreilles amusantes en celluloïd avec un vison somptueux, on ne peut réussir un mariage heureux issu d'un parfum capiteux — genre Shalimar de Guerlain — avec une tenue de jogging!

C'est pourquoi il est des parfums d'été et des parfums d'hiver. Des parfums de jour, des parfums du soir... et même des parfums de nuit.

Alterner ses parfums périodiquement présente un avantage considérable. Car on finit par ne plus sentir un parfum que l'on porte depuis longtemps. Il s'incorpore à notre chimie personnelle. Se confond avec l'odeur de notre propre peau. Et l'on se prive alors d'un des plus grands plaisirs que le quotidien nous réserve. Celui de respirer soi-même au cours de la journée, l'odeur élue.

D'en respirer l'effluve discrete qui nous rétablit en bonne relation avec nous-même et avec l'image que nous voulons projeter.

Parmi les 200 parfums pouvant servir de complément raffiné à votre toilette du moment, nous allons à nouveau établir un tableau qui vous permettra de mieux vous diriger dans le choix du sillage approprié.

Après un ou deux essais, il vous sera facile de le réaliser vous-même. On ne porte pas avec les lainages ce que l'on respire avec les soieries. Et les fraîches cotonnades appellent des notes parfumées différentes de celles qu'exige la fourrure.

Parfums d'été

Diorissimo: jasmin, muguet des bois, amaryllis. Dior.
Anais-Anais: lys, iris de Florence, jasmin. Cacharel.
Vent Vert: narcisse, muguet, jonquille. Balmain.
Rive Gauche: gardénia, chèvrefeuille, jasmin. St Laurent.
Fleurs d'Orlane: muguet, jacinthe, vanille. Orlane.

Parfum d'hiver

Private Collection: santal, tilleul, mimosa. Estée Lauder.
Vol de Nuit: mousse de chêne, violette, épices, Guerlain.
Turbulences: iris, poivre, ambre. Revillon.
1000: rose, violette, santal. Jean Patou.
KL: mandarine, myrrhe, girofle. Lagerfeld.

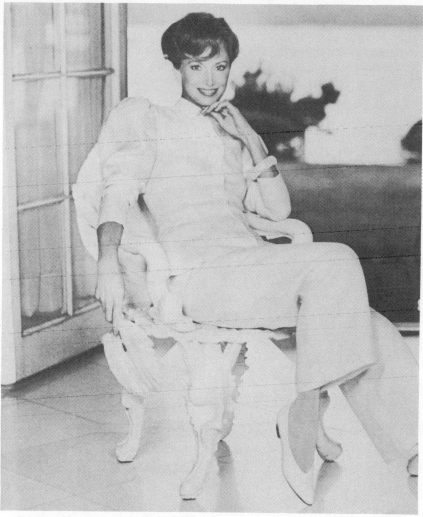

Parfum d'un jour d'été: White Linen d'Estée Lauder.

Parfum de jour (été)

Pavlova: jacinthe, rose, cassis. Payot.
Clair de Jour: narcisse, muguet, jacinthe. Lanvin.
White Linen: jasmin, gardénia, chèvrefeuille. Estée Lauder.
Les Fleurs: fleurs d'oranger, muguet, mimosa. Alyssa Ashley.
Quartz: mandarine, chèvrefeuille, jacinthe. Molyneux.

Parfum d'un soir d'été: Nocturnes de Caron.

Parfum du soir (été)

Ivoire: iris, fleurs d'oranger, santal. Balmain.
Nocturnes: jasmin, tubéreuse, ylang-ylang. Caron.
J'ai Osé: jasmin, coriandre, santal. Guy Laroche.
Tuxedo: jasmin, mousse de l'Adriatique, ambre. Lauren.
Galanos: géranium, gardénia, santal. Galanos.

76

Parfum d'un jour d'hiver: Molinard de Molinard.

Parfums de jour (hiver)

Jean-Louis Scherrer: mandarine, iris, santal. Scherrer.
First: cassis, rose, santal. Van Cleef & Arpels.
Molinard: jonquille, jasmin, framboise. Molinard.
Chloé: tubéreuse, jasmin, patchouli. Lagerfeld.
Armani: jasmin, jacinthe, coriandre. Armani.

Parfum d'un soir d'hiver: Opium d'Yves St Laurent dans un ravissant contenant pour le sac.

Parfums du soir (hiver)

Opium: girofle, oeillet, myrrhe. St Laurent.
Cinnabar: jasmin, girofle, patchouli. Estée Lauder.
Shalimar: benjoin, patchouli, encens. Guerlain.
Must: bergamote, rose, musc. Cartier.
7ième sens: narcisse, ylang-ylang, musc. Sonia Rykiel.

On se parfume un peu plus intensément l'hiver, car le froid diminue la densité et la diffusion d'un parfum. La chaleur au contraire l'intensifie. C'est pourquoi, l'été, il faut se vaporiser avec plus de délicatesse.

Quand on s'adonne au sport également. L'exercice augmente le degré calorique de votre corps. Point n'est besoin de s'inonder d'Eau fraîche, pour que toute la salle d'aérobie soit consciente de votre parfum distinctif.

Parfums de nuit

Le musc dont l'impératrice Joséphine imprégnait ses draps, ses vêtements et les murs de sa chambre à coucher, dans un but non déguisé, accélère les battements du coeur. Donc, appliqué aux huit points de pulsations du corps, il se diffuse avec une étonnante rapidité.

Étant d'origine animale, il a une tenue et une puissance d'une rare intensité. C'est un aphrodisiaque réputé... à dose raisonnable.

Car il vaut beaucoup mieux capturer ou mieux encore captiver l'être aimé, par un parfum subtil et secret, que de le happer à distance par les effluves brutaux d'une lourde essence orientale ou animale qui fait appel à ses instincts primitifs... rend l'homme semblable à la bête et bien souvent le fait mourir d'étouffements avant de consommer!

Là n'est pas votre but, ô soeurs conquérantes. Vous le désirez assujetti, tout gagné à votre cause, mais bien vivant, alerte et vif. Les réflexes aiguisés, la voix charmée et non l'oeil hagard et le nez déconcerté par une odeur envahissante qui transforme la femme exquise dont il rêvait en mousmé capiteuse à la «comme with to the cashba!»

Certains parfumeurs ont accentué le côté sensuel d'un parfum en intensifiant à l'extrême la note de musc dans sa composition. La liste ci-dessous contient des parfums réservés à la nuit. Utilisés de jour, ils vous donneraient mauvaise presse. Sachez bien les doser. Ils peuvent très bien se marier avec une note de jasmin, de rose ou de jacinthe d'un parfum simple, comme en propose par exemple l'Artisan Parfumeur ou Dans un jardin.

Jovan: Musk Oil.
Fabergé: Tigress Musk.
Coty: Wild Musk ou Huile de musc.
Bonne Bell: Skin Musk.
Alyssa Ashley: Musk.
Houbigant: Musk Oil.
Aphrodisiac: Lise Watier
Andron.

Parfum de nuit: les Musk d'Houbigant...

L'être humain produit des «phéromones» pour attirer le sexe opposé. Tout comme l'animal à l'heure de l'accouplement.

Le musc, sécrétion animale, est un excitant génétique qui agit sur l'homme comme sur la femme.

C'est pourquoi les parfums qui en renferment une forte dose ont un pouvoir de suggestion très appuyé.

Celles qui préfèrent la subtilité opteront pour:

Senchal: muguet, jacinthe, musc. Charles of the Ritz.
Murasaki: iris, lys, musc. Shiseido.
Yendi: ylang-ylang, jacinthe, myrrhe. Capucci.
Empreinte: bois précieux, épices, musc. Courrèges.
Champagne: fruits exotiques, ambre, musk. Germaine Monteil.

...il ne vous reste qu'à baisser l'abat-jour!

Sur un mode plus subtil: Senchal de Charles of the Ritz.

Dis-moi qui tu es...
je te dirai comment
te parfumer

Un parfum, c'est du mystère. C'est de la tendresse et de la joie. C'est aussi une affirmation de soi. De ce que l'on est vraiment. De ce que l'on aime. Une déclaration de principes. La création d'un lien avec l'autre ou les autres. Un appel vers le complément.

Un parfum fait pour vous correspond exactement à l'ambiance que vous aimez créer et retrouver autour de vous. Et si votre parfum plaît à l'être aimé, c'est qu'il est fait de composants susceptibles d'éveiller chez lui des souvenirs, des sensations, des images bénéfiques.

Ce sont des choses aimables qu'il se plaît à cultiver près de vous. Un environnement qui le stimule, l'aiguillonne ou le motive. Il a le même effet sur vous.

De plus, un parfum adoucit les angles. Il vous rappelle au moment d'un effort intense, d'une passe difficile, qu'il existe des havres de douceur, de sérénité et de paix. Qu'il y a des îles de soleil, des jardins exubérants... ou des divans profonds et voluptueux qui, quelque part, vous attendent.

Il vous redonne cette faim de vivre propre aux êtres heureux.

Votre choix sera donc motivé par votre tempérament, votre caractère. Ce que vous avez envie d'être aussi dans vos fibres profondes. Les grands parfums ont été conçus pour établir une harmonie réussie entre votre «moi» intime et vos activités extérieures.

Toujours pour vous permettre de mieux vous guider dans le choix du parfum qui saura affirmer votre personnalité, voici une mini liste de parfums classés selon des styles de pensées et de vies bien définis.

LA PASSIONNÉE:
   Opium de St Laurent: girofle, oeillet, cèdre.
   Cinnabar d'Estée Lauder: jasmin, girofle, myrrhe.
   Royal Secret de Germaine Monteil: rose rouge, fleurs d'oranger, myrrhe.
   Empreinte de Courrèges: bois, épices, musc.
   J'ai Osé de Guy Laroche: ylang-ylang, coriandre, santal.

L'ÉNERGIQUE:
   Halston: bergamote, jasmin, oeillet.
   Vivre de Molyneux: jasmin, rose, épices.
   Must de jour de Cartier: citron, jonquille, bergamote.
   Chanel no19: narcisse, iris, mousse de chêne.
   Joy de Patou: rose, jasmin, tubéreuse.

LA SÉDUCTRICE:
   Shalimar de Guerlain: patchouli, vanille, opopanax.
   Casanova: néroli, jasmin, ambre gris.
   Volcan d'amour de Diane Von Furstenberg:
   Senchal de Charles of the Ritz: rose, jacinthe, ambre.
   Scheherazade Jean Desprez: orchidée, ylang-ylang, patchouli.

Lauren de Ralph Lauren pour la sportive.

LA SPORTIVE:

Lauren de Ralph Lauren: oeillet, violette, jonquille.

Eau de Cologne d'Hermès: mandarine, menthe, bois.

Vivara de Pucci: citron, rose, jasmin.

Eau de Caron: tangerine, pamplemousse, lavande.

Jean Naté: citron, orange, verveine.

L'anticonformiste. Elle porte peut-être Jicky de Guerlain.

L'ANTICONFORMISTE:

Jicky de Guerlain: bergamote, lavande, romarin.
Private Collection d'Estée Lauder: néroli, tilleul, mimosa.
7ième Sens de Sonia Rikyel: narcisse, mirabelle, ambre.
Calandre de Paco Rabanne: jasmin, rose, fruits.

Anais-Anais de Cacharel pour la romantique.

LA ROMANTIQUE:

Anais-Anais de Cacharel: lys, rose, jasmin.
Blue Grass d'Elizabeth Arden: bouquet floral.
Andrade de Lise Watier: violette, rose, fleurs d'oranger.
Chantilly d'Houbigant: fleurs d'oranger, jasmin, rose.
Oscar de la Renta: fleurs d'oranger, jasmin, rose bulgare.

L'enjouée... qui parfois se joue de tout avec Quartz de Molyneux.

L'ENJOUÉE:

Quartz de Molyneux: mandarine, jacinthe, chèvrefeuille.

Vent Vert de Balmain: foin frais, jonquille, muguet.

Clair de Jour de Lanvin: muguet, vétiver, jacinthe.

Cialenga de Balenciaga: rose, vétiver, jacinthe.

Rive Gauche de St Laurent: gardénia, iris, vétiver.

Le raffinement de Miss Dior.

LA RAFFINÉE:

First de Van Cleef & Arpels: narcisse, jasmin, rose de Turquie.
Chloé de Lagerfeld: jasmin, rose, chèvrefeuille.
Miss Dior: gardénia, rose, patchouli.
Silences de Jacomo: narcisse, iris, santal.
Molinard de Molinard: jonquille, jasmin, framboise.

La secrète s'adonne à Michel Robichaud.

LA SECRÈTE:

Magie Noire de Lancôme: rose, encens, ambre.
Brunante de Robichaud: angélique, mousse de chêne, ambre gris.
Grain de Folie de Nicky Verfaillie: néroli, mousse de chêne, iris.
Sortilège de Le Gallion: jasmin, muguet, ambre.
Le Dix de Balenciaga: violette, iris, musc.

Le super-classicisme du flacon no 5 de Chanel exposé au Modern Art Museum de New York.

LA CLASSIQUE:

Jean-Louis Scherrer: jasmin, rose, iris.
d'Yves St Laurent: tubéreuse, jasmin, iris.
Chanel no 5: ylang-ylang, jasmin, rose.
Cabochard de Grès: encens, santal, jasmin.
Arpège de Lanvin: jasmin, rose, camélia.

LA NATURELLE:

Alliage d'Estée Lauder: chêne, gardénia, citron.

Eau de Roche de Rochas: narcisse, verveine, citron vert.

Fleurs de Fleurs de Nina Ricci: fleurs blanches, jacinthe, iris.

Cristalle de Chanel: jonquille, chèvrefeuille, citron de Sicile.

4711: rose, vétiver, fleurs d'oranger.

LA CHARMEUSE:

Harmonies de Lise Watier: jasmin, mimosa, violette.

Ivoire de Balmain: muguet, rose, armoise.

Valentino: tubéreuse, jasmin, bois de santal.

L'Air du Temps de Nina Ricci: gardénia, jasmin, oeillet.

Amazone d'Hermès: narcisse, jasmin, framboise.

Dis-moi quel est ton signe et je te dirai les odeurs qui t'inspirent

Le parfum exalte l'esprit, le charme, la sensualité de celle qui le porte. Et pour tous ceux qui s'adonnent à l'astrologie, il est un fait admis: les personnalités se divisent en douze grands courants, identifiés par les douze signes du zodiaque.

Selon que vous êtes Gémeaux, Balance ou Scorpion, vous serez attirés plus spontanément vers un parfum qui induit à la joie, à la poésie ou à la passion profonde.

Le parfum c'est l'âme de la fleur. Combiné à votre peau, il s'infiltre jusqu'à votre âme et en extrait une parcelle que vous offrez à qui vous laissez approcher d'assez près. Votre âme touche alors l'âme de l'autre. Car dans ce parfum, il y a un message qui ne s'embarrasse pas de mots.

Les douze signes sont là pour vous aider à déchiffrer ce message. Ils vous ont appris à mieux vous connaître vous-même. Ils vous aident maintenant à mieux choisir le parfum qui proclame votre droit à la séduction, au plaisir et à la douceur de vivre.

BÉLIER:

Être qui vit dans l'instant. Avec des coups de tête et des coups de coeur. Spontanée, bouillante, intuitive. C'est une lutteuse née. Ses goûts iront vers des parfums enlevés:

Gauloise de Molyneux
Quartz de Molyneux
Cabochard de Grès
Fantasque de Louis Féraud
Chanel 19

TAUREAU:

Plein de vibrations charnelles, de joie de vivre, de sens aigu de la volupté et de la beauté. Elle goûtera intensément:

Pavlova de Payot
Chloé de Lagerfeld
Opium de St Laurent
Armani
Femme de Rochas

GÉMEAUX:

Mobile, adaptable, subtile, pleine de vivacité, d'aisance et de brio. Elle ira vers:

Diorissimo de Dior
Scheherazade de Jean Desprez
Vent vert de Balmain
Fox Fire d'Avon
Rive Gauche de St Laurent

CANCER:

*Signe maternel et familial. Amante du
foyer, du souvenir et du rêve nébuleux.
Lui plairont:*

*Sortilège de Le Gallion
Lauren de Ralph Lauren
Ivoire de Balmain
Andrade de Lise Watier
Je reviens de Worth*

LION:

La rayonnante, volontaire, éclatante. Au grand pouvoir de conquête. Habitée par une ambition immense pour le pouvoir et les entreprises de grandes envergures. Elle aimera:

Joy de Jean Patou
Vôtre de Jourdan
First de Van Cleef & Arpels
Infini de Caron
Chanel no 22

VIERGE:

L'économe. Ayant le souci du détail, de la ponctualité, de la sobriété. Organisée, raisonnable, disciplinée, elle ira vers:

Fleurs de Rocaille de Caron
Coriandre de Jean Couturier
White Linen de Estée Lauder
Brunante de Michel Robichaud
Les Fleurs d'Alyssa Ashley

BALANCE:

Signe de finesse, de nuance et d'harmonie. De la délicatesse, de la diplomatie et du désir de plaire à tout prix. Elle sera attirée par:

Symbiose de Stendhal
Bellodgia de Caron
L'air du Temps de Nina Ricci
Chant d'arôme de Guerlain
Miss Dior de Dior

SCORPION:

Violence créatrice ou destruction fécondante. Agressivité, anxiété. Grandes pulsions érotiques. Auto-analyste, chercheuse. Elle ira vers:

Casanova de J. Casanova
Mystère de Rochas
Shocking de Shiaparelli
Arpège de Lanvin
Chicane de Jacomo

SAGITTAIRE:

Signe de l'approfondissement et de l'éloignement. Esprit loyal, chevaleresque, épris d'ordre. Courtoise, affable... mais d'une souveraine indépendance. Elle sera attirée par:

Calèche d'Hermès
Turbulences de Revillon
Jean-Louis Scherrer
Azzaro
Diva d'Emmanuel Ungaro

CAPRICORNE:

*Orgueilleuse, volontaire et calculatrice.
C'est le signe des grandes entreprises et
des grandes réussites qui requiert une
longue préparation. Austère, indomptable
et ferme. Elle peut aimer:*

*Weil de Weil
Galanos de Galanos
Diorescence de Dior
Narcisse Noir de Caron
Première de Jean-Charles de Castelbajac*

VERSEAU:

C'est le signe de l'avant-gardisme, de l'excentricité, de la grande aventure. Le signe aussi du don de soi, du détachement et de l'abnégation. Elle est originale, moderne et sans frontières. Elle sera tentée par:

Alpha 1 de Fernand Aubry
Le De de Givenchy
Amazone d'Hermès
Aromatic Elixir de Clinique
Cristalle de Chanel

POISSONS:

Signe de la mouvance, de la dissolution, de l'imprécision. Réceptive, émotive, impressionnable. Un peu chaotique, brouillon et velléitaire. Son choix variera souvent entre:

Miss Worth de Worth
Kl de Lagerfeld
Raffinée de Houbigant
Youth Dew d'Estée Lauder
Oscar de la Renta

Votre ascendant a souvent sur votre caractère une influence plus forte que votre signe lui-même. Considérez-le en examinant ce guide.

Dis-moi ce que tu manges et je te dirai comment te parfumer

D'après une sérieuse enquête s'appuyant sur les études du réputé professeur Fielder: «De l'influence de la nourriture sur les glandes odoripares», il ressort que notre peau dégage des senteurs, infusées par nos habitudes alimentaires. Cette odeur qui nous devient particulière détermine entre autres notre attirance vers tel ou tel parfum.

Les Japonais et les Suédois qui se nourrissent très souvent de poissons crus ou cuits sont davantage portés vers les parfums à dominance florale.

Les peuples arabes, qui adorent les mets épicés, vont d'emblée vers des essences plus capiteuses. Car les puissantes épices atrophient les sens du goût et de l'odorat qui réclament des éléments plus forts pour être impressionnés.

Déterminez ce que vous mangez en priorité, dans le menu d'une semaine, et vous trouverez plus facilement la note charnelle qui s'accorde à votre note soufrée, si vous êtes mangeur de viande... ou la note fleurie qui s'harmonise parfaitement à la note aminée de votre peau, si vous êtes mangeur de poissons.

Si vous aimez les fromages, les yogourts, les fabuleux «sundaes» d'Howard Johnson, vous réaliserez que le lait dont vous vous gavez en abondance vous guide vers des senteurs fruitées. Essayez:

Femme de Rochas
Mitsouko de Guerlain
Diorella de Dior
Eau de Revillon
Quartz de Molyneux.

Si vous avez un amour déréglé pour la «harissa», le piment, le poivre rouge, vous avez déjà constaté que les épices ont un pouvoir dévitalisant sur votre palais. Ils diminuent aussi considérablement votre pouvoir olfatif. Vous avez donc besoin d'un sillage fort et tenace. À conseiller:

Shalimar de Guerlain
Tabu de Dana
Bal à Versailles de Jean Desprez
Tamango de Leonard
Bakir de Germaine Monteil.

Si vous ne pouvez résister à une gousse d'ail sur votre pain ou dans votre salade, sachez que l'ail et la rose font bon ménage. Vous aurez le coup de foudre pour:

Paris d'Yves St Laurent
First de Van Cleef & Arpels
Pavlova de Payot
Farouche de Nina Ricci
Chanel no 5.

Si les crustacés vous permettent de faire vos meilleurs festins, vous êtes adepte de parfums simples et naturels tels que:

Diorissimo de Dior
Chloé de Lagerfeld
Bellodgia de Caron
Jontue de Revlon
Les parfums de l'Artisan Parfumeur.

Si la viande rouge est plutôt au menu de vos délices quotidiens, vous choisirez des parfums chyprés
avec une pointe de note verte et fuirez les parfums capiteux ou poudrés à l'extrême. Vos préférences iront à:

Armani de Giorgio Armani
Vivara d'Emilio Pucci
Givenchy 111
Sophia de Coty
Alliage d'Estée Lauder.

«*Parfois on trouve un vieux flacon
qui se souvient
D'où jaillit, toute vive,
une âme qui revient.*»

Baudelaire

Vaporisez votre eau de toilette sur votre écharpe, votre boa, pour un sillage embaumé.

20 façons d'utiliser
son parfum

- Déposez un mouchoir ou des tampons d'ouate parfumés à l'eau de toilette dans votre tiroir à lingerie; placez-y ouverts vos flacons vides de parfum.

- Ajoutez quelques gouttes de parfum à l'eau de votre bain.

- Vaporisez de l'eau de toilette sur votre peigne ou sur vos cheveux encore humides. Au vent il s'en dégagera une odeur bien agréable.

- Appliquez un peu de votre parfum favori de nuit sur l'ampoule de votre lampe de chevet. Une fois allumée elle dégagera délicatement votre propre effluve.

- Mettez un peu de talc sur le bord de vos draps. Puis vaporisez-les d'un peu de votre eau de toilette pour un concept d'environnement total.

- Apportez votre eau de toilette préférée en voyage. Vaporisez-en les draps de votre chambre d'hôtel. Vous vous sentirez chez-vous partout.

- Vaporisez l'ourlet de votre jupon et de votre jupe d'eau de toilette. Votre sillage n'en sera que mieux perçu.

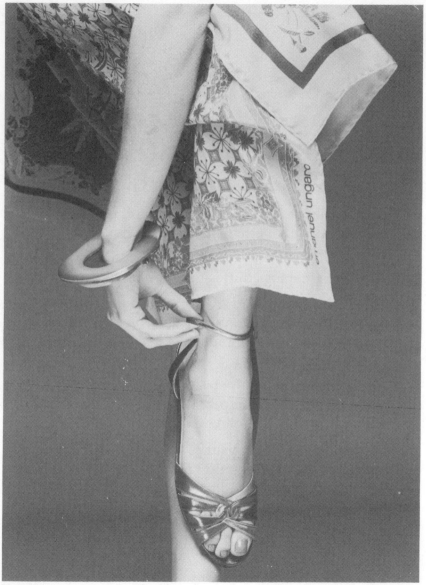

Vaporisez au niveau des chevilles.

- Mettez des tampons d'ouate ou un mouchoir parfumés dans le coffre à rangement de vos lainages. Ce sera un plaisir de les déballer à la prochaine saison froide.

- Mettez des savons parfumés dans vos tiroirs. L'intérêt est double. Ils parfumeront vos vêtements... et dureront plus longtemps à l'usage étant devenus parfaitement secs.

- Vos mains ont tendance à devenir moites? Un peu d'eau de toilette sur la paume les asséchera.

- L'été, vaporisez un peu d'eau de toilette dans la bouche du climatiseur. L'hiver sur les calorifères ou les bouches de chaleur.

- L'été, 15 minutes avant d'aller au lit, vaporisez vos taies d'oreiller d'eau de toilette. Puis mettez-les dans un sac de plastique au congélateur (s'il est assez grand). Elles en ressortiront toutes fraîches et parfumées.

- Mettez quelques gouttes d'eau de toilette dans l'eau de votre rinçage lorsque vous lavez votre lingerie.

- Ajoutez quelques gouttes d'eau de toilette à votre assouplisseur en feuille pour la sécheuse.

- Vaporisez vos bas culottes au niveau des chevilles.

- Après le bain, vaporisez de l'eau de toilette sur tout votre corps. Cela créera un fond durable pour votre parfum.

- Vaporisez votre parfum préféré sur vos fleurs artificielles.

- Vaporisez de l'eau de toilette sur votre planche à repasser avant de repasser vos blouses ou votre lingerie.

- Gardez un mouchoir délicatement parfumé de votre eau de toilette de la journée dans votre sac à main. Il s'en dégagera une odeur des plus agréables chaque fois que vous l'ouvrirez.

- Gardez toujours un flacon-sac pour vous rafraîchir au cours de la journée. N'oubliez pas qu'un parfum ne dure tout au plus que 4 à 5 heures. Une eau de toilette que 2 ou 3 heures. Une journée de travail en compte environ huit.

«*Et il perçut ce parfum âpre et délicat. Le parfum de sa peau, qui, à l'heure de la joie devenait enivrant comme celui de la tubéreuse et un fouet terrible au désir.*»

d'Annunzio

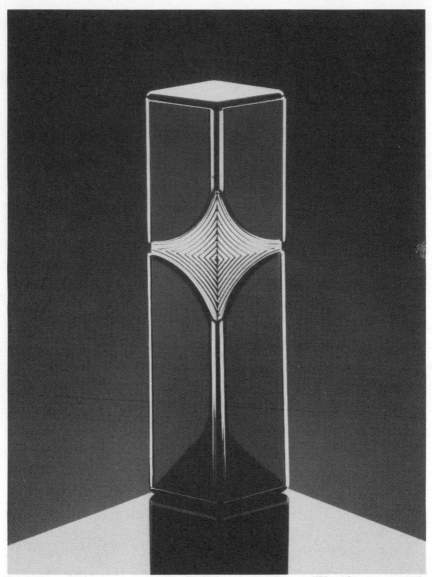

Le beau vaporisateur opaque de «Raffiné», le dernier-né d'Houbigant, une maison établie depuis 1775.

Comment conserver son parfum

Les trois grands ennemis du parfum sont:

l'air — la chaleur — la lumière.

À la minute où on ouvre un flacon, son contenu commence à s'altérer. Il faut donc toujours le refermer soigneusement après usage.

La solution idéale: le vaporisateur. Il protège la précieuse essence des agressions de l'air, évite de la mettre en contact avec un corps étranger, préserve sa pureté en ne laissant pas pénétrer de particules indésirables qui se nichent toujours au bout des doigts.

Un parfum conserve son «tonus» environ un an. Après il n'a plus les mêmes qualités ni la même stabilité.

Il faut le tenir éloigné de toute source de chaleur. Trop de chaleur risque de le faire virer, tout comme un vin de qualité.

Il faut aussi éviter de l'exposer à la lumière vive. C'est pourquoi il est recommandé de conserver l'emballage dans lequel vous l'avez acheté. Certaines grandes maisons comme Cartier ou St Laurent — dans le cas de «Paris» — offrent un boîtier de luxe dans lequel vous préservez votre parfum de la lumière. Silences de Jacomo offre une opacité totale. Bien des vaporisateurs sont présentés dans des flacons d'émail ou de lucite également opaques, tels: First de Van Cleef & Arpels; tous les Guerlain; Anais-Anais; Fidgi; ce qui règle le problème à sa source.

Dans tous les cas il faut manipuler son flacon avec douceur, comme on le ferait avec un bon vin. Ne pas agiter le flacon dans tous les sens... et jouir autant de la vue de ce bel objet que des effets de son contenu magique.

« Un parfum laisse une trace qui l'unit à celle qui le porte et dont on se souvient. C'est l'une des nombreuses faces d'une personnalité et il constitue en quelque sorte sa marque, son label. »

Yves Lanvin, directeur des Parfums Lanvin.

Les huits points de diffusion d'un parfum.

L'art de se parfumer

Tout d'abord, en commençant par le bas. Pourquoi? Parce que les odeurs montent et qu'elles auront le temps de se marier à l'alchimie de votre peau avant d'arriver à vos narines ravies. Le parfum doit donc s'appliquer à partir du genoux vers le haut.

On vaporise sur les huit points de diffusion du corps:

Derrière les genoux.
Au creux des reins.
À la taille.
Aux poignets.
Au creux du coude.
Entre les seins.
Derrière le lobe de l'oreille.
Sur la nuque.

Ce sont les endroits où le sang affleure. Et c'est par la chaleur du corps que le parfum se dégage en plénitude.

Vous pouvez aussi en vaporiser légèrement sur vos cheveux en eau de toilette. Si le parfum est léger et vo-

123

tre cheveu propre et frais, cela peut créer un agréable sillage.

L'art de se parfumer consiste à doser l'intensité de sa fragrance au fil des heures. Eau de toilette le matin. Eau de parfum l'après-midi. Esprit de parfum ou extrait le soir.

De toute manière le parfum en extrait doit être réservé pour le soir. Son intensité est beaucoup plus forte. Sa présence plus affirmée. Il tient à ce qu'on le remarque. Alors que l'eau de toilette, beaucoup plus discrète, se laisse découvrir.

Personne ne tient à être entêté par une odeur puissante et envahissante au moment d'une concentration au niveau du travail. C'est sûrement une façon d'être remarquée... mais pas du tout celle que vous recherchez.

Cependant, vous pouvez laisser une trace enbaumée mais délicate de façon continue, aux divers endroits où vous serez passée. Comme vos vêtements font écran au parfum mis sur votre peau, vaporisez un jet d'eau de toilette aux poignets, au col et au revers de l'ourlet de votre robe.

Vaporisez également la doublure de votre manteau et votre écharpe. Si le parfum choisi est le vôtre pour toute une saison, on saura à qui appartient ce manteau. L'homme de votre vie vous respirera avec délices avant de mettre sur vos épaules, la pièce à conviction. Et le placard du bureau aura une odeur bien agréable chaque soir à sa réouverture.

Mise en garde

Attention. *Le parfum peut tacher la soie, le crêpe de Chine et la mousseline.* Il faut donc vaporiser l'en-

Le pratique flacon-voyage de Magie Noire de Lancôme.

vers des coutures. Jamais directement sur l'endroit du tissu.

Le parfum altère l'orient des perles et la délicatesse de l'ivoire. N'en vaporisez pas sur ces bijoux... ni sur votre cou ou vos poignets si vous portez ces rangs aux endroits stratégiques.

De toute façon, il faut *éviter de vaporiser son parfum dans le triangle olfatique* qui englobe le sommet du nez, la bouche, le cou et les deux épaules, nous l'avons déjà vu. Cela anesthésie votre odorat.

Ne vous parfumez jamais avant de vous exposer au soleil. Certaines huiles contenues dans votre parfum, en entrant en contact avec les rayons ultra-violets, vont causer sur votre peau une décoloration qui risque d'être permanente. Si vous avez vaporisé votre eau de toilette, vous serez pleine de petites taches brunes ou blanches très inesthétiques.

Ne vous parfumez jamais avant de vous exposer au soleil.

Le parfum de la séduction: Casanova.

N'appliquez pas votre parfum directement de la bouteille avec vos doigts. Vos huiles naturelles et dépôts cutanés risquent de se combiner au parfum et de venir le dénaturer dans son flacon. Utilisez un coton tige... ou alors le bouchon de cristal. Mais essuyez le entre chaque application sur un mouchoir que vous parfumerez par la même occasion et que vous mettrez ensuite dans votre bourse du soir. Prenez-en un joli, avec de la dentelle fine. Il tiendra peu de place et remplira bien sa fonction de total raffinement.

Ne laissez jamais votre parfum sous la lampe de votre table de chevet ou de votre coiffeuse. La fragrance se détériorerait rapidement sous la double action néfaste de la chaleur et de la lumière.

Ne laissez jamais un flacon ouvert à moins qu'il ne soit vide et qu'il aille rejoindre vos tricots pour les embaumer de ses derniers soupirs.

Un parfum n'est pas fait pour être conservé mais pour être utilisé. Lorsque le liquide est à mi-flacon, à cause du volume d'air trop grand, il se déstabilise. Transvasez-le alors dans un flacon plus petit pour lutter contre cette pression importune.

De toute façon, au bout d'une année, la fragrance s'est altérée généralement. Utilisez ce qu'il en reste dans l'eau de rinçage de votre lingerie, par petites gouttes... et achetez-en un autre. Votre image odorante a droit à un traitement de première classe.

Bien se parfumer est un nouvel art de vivre. C'est le bien-être qui s'allie au paraître. Il ne faut rien négliger pour que d'un côté comme de l'autre, tout soit parfait.

«Savoir se parfumer relève du grand art. Il existe plusieurs manières d'intensifier cette essence qui se marie à votre odeur pour en sublimer la sensualité profonde... et canaliser le désir de l'autre.»

Comment conjuguer le mot parfum

On a l'habitude de désigner sous le nom général de parfum, toute essence odorante. Il y a pourtant une déclinaison dans l'intensité de la fragrance que vous portez. Dans une même ligne de parfums, utilisant les mêmes bases de composition, vous aurez une quantité de concentré à l'état pur plus ou moins importante, selon l'usage que vous voulez en faire... ou le budget que vous êtes disposée à y allouer.

Voici un tableau, par ordre décroissant, de la puissance des huiles essentielles d'une ligne complète de produits parfumés:

L'extrait

Que l'on appelle dans le langage courant: parfum. Il a la moyenne la plus élevée de concentré de toute la ligne. De 18% à 30% selon la fragrance choisie. Ce concentré est dissous dans de l'alcool à 96°. Il doit tenir de quatre à six heures.

Certains parfums sont légers, mais en général on réserve l'extrait pour le soir. Son coût est le plus haut dans la gamme des produits parfumants.

L'esprit de parfum lançé par Dior en 1982.

L'esprit

Lancé par Dior en 1982, l'esprit de parfum, très proche de l'extrait par sa ténacité et son style, a pour lui l'argument prix: trois fois moindre que celui de l'extrait. C'est un produit parfumant plus vibrant pour la vie quotidienne. Sa concentration spéciale est très proche de celle de l'extrait.

Le parfum de toilette

Moins dense, le parfum de toilette se compose en moyenne de 10% à 20% de concentré, dissous dans de l'alcool à 90⁰. Plus léger, son sillage est cependant durable. De trois à cinq heures, selon la texture de votre tre peau.

Une peau sèche retient moins longtemps les odeurs. Une peau grasse, due aux huiles naturelles qu'elle contient, a un plus grand pouvoir de diffusion et de ténacité sur les parfums.

L'eau de toilette

La concentration de l'eau de toilette a en général diminué de moitié par rapport au parfum d'origine. Sa perception est précise pour soi-même, mais faible pour les autres. Sa durabilité est d'environ deux heures.

Elle se compose d'une moyenne de 5% à 15% de concentré dissous dans de l'alcool à 80⁰. Idéal après la douche du matin, à diffuser sur tout le corps. C'est un produit parfumant de jour. Le soir vous complétez par l'apposition du parfum aux huit points de diffusion du corps.

L'eau de Cologne

La catégorie la plus légère des produits parfumants. Elle est composée en moyenne de 2% à 10% de concentré d'huile parfumée dissous dans de l'alcool à degré variable. De 50⁰ à 75⁰. De plus on y incorpore plus de notes citronnées pour la fraîcheur et pour compenser sa très basse concentration en huile parfumantes. En général, en Amérique du Nord, l'eau de Cologne est réservée à l'usage de l'homme.

L'eau fraîche. La forme la plus légère du parfum.

L'eau fraîche

Cette forme de fragrance, très légèrement parfumée, n'a fait son apparition sur le marché que depuis quelques années. Elle est généralement citronnée, légèrement florale ou légèrement verte. On l'utilise en ablution sur tout le corps pour un effet rafraîchissant.

Idéale pour l'après-sport... ou les climats très chauds.

Ligne de bain

Certaines maisons ont poussé le raffinement à l'extrême dans l'art de se parfumer. Elles ont donc mis à votre disposition toute une ligne parfumée de produits, intimement complémentaires, pour le bain et le corps, à votre fragrance préférée.

Le raffinement total d'une ligne de bain complète.

Ce raffinement ne s'est pas limité à la composition des produits. La présentation visuelle, les coffrets, les boîtiers sont en soi souvent de petites oeuvres d'art. Ils ornent votre salle de bain aussi sûrement qu'un cristal de Lalique ou de Baccarat... dont ils s'inspirent parfois.

On peut citer parmi les réalisations les plus somptueuses, les lignes complètes de bain d'Opium de St Laurent; Chloé de Lagerfeld; First de Van Cleef & Arpels; Harmonies de Lise Watier; Silences de Jacomo.

La beauté de l'ensemble Opium de St Laurent.

Sans oublier le ravissant Anais-Anais de Cacharel, tout Dior et le splendide coffret huit pièces, du No 5 de Chanel.

Pour votre bien-être personnel. Pour le plaisir intime de se sentir environnée, de la tête au pieds, d'une aura subtilement parfumée. Pour la joie secrète de respirer les bouffées odorantes de votre essence imprégnée dans les murs de votre salle de bain (l'eau, comme la chaleur, est conductrice d'effluves). Pour le concept global d'un choix sans compromis. Pour le parfait équilibre surtout de vos envolées olfactives tellement mieux diffusées, tellement plus durables aussi, il vaut la peine de s'offrir ou de se faire offrir la ligne complète bain et corps de votre parfum préféré.

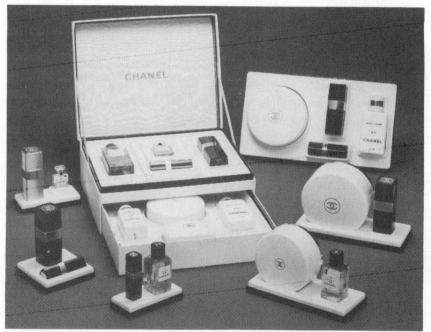

Le super coffret-bain de Chanel no 5.

Voici comment elle se décline:

SAVON PARFUMÉ, enrichi d'huiles émollientes, libérant une mousse crémeuse et parfumée. Son boîtier, petit objet de beauté, peut être réutilisé à mille fins de rangement par la suite.

BAIN MOUSSANT, cascade de bulles parfumées pour un vrai moment de détente. Il relaxe, tonifie souvent, a parfois un certain pouvoir décontractant qui constitue une cure de détente pour les muscles.

HUILE DE BAIN. Elle a une plus forte teneur en concentré parfumant que le bain mousse et est idéale pour les peaux sèches. Elle en affine le grain et assouplit l'épiderme. Inutile d'ajouter que les huiles des grandes maisons ne laissent aucun cerne autour de la baignoire.

LOTION HYDRATANTE POUR LE CORPS. Sous forme de lait ou de crème. Elle est légère et délicatement parfumée. Assouplit l'épiderme, l'adoucit, le protège contre les agressions extérieures au même titre qu'une crème hydratante pour le visage. Elle laisse la peau douce, satinée et odorante.

LE GEL BAIN/DOUCHE, sorte de shampooing pour le corps. Pour le matin ou ceux dont l'horaire est chargé. Il nettoie. Combat l'agression de l'eau calcaire. Adoucit la peau, la tonifie et la parfume.

POUDRE PARFUMÉE POUR LE CORPS. Elle a des vertus déodorantes. En plus d'être par elle-même parfumée, elle fixe la fragrance sur la peau et permet à votre eau de toilette de durer plus longtemps et d'avoir une meilleure diffusion. De plus elle «veloute» l'épiderme aux endroits stratégiques: talons, coudes, genoux.

DÉODORANT pour celles qui ont un problème de sudation trop prononcé. Sa formule doit respecter la sensibilité de l'épiderme et assurer une protection et un bien-être durable. C'est un produit complémentaire, mais non essentiel dans une ligne de bain parfumée.

N'oubliez surtout pas que le savon tue les bulles dans l'eau parfumée. Ne l'utilisez qu'aux derniers moments de votre bain. Juste avant le jet d'eau fraîche avec lequel vous devriez toujours terminer un bon bain chaud.

FAÇON DE PROCÉDER

Huile ou mousse de bain ou gel bain/douche.
Savon.
Crème ou hydratant pour le corps.
Poudre de talc parfumée.
Eau de toilette.
Parfum pour intensifier la note d'une même famille, le soir.

*«Une journée où l'on a appris quelque chose
n'est pas une journée perdue.»*

Saviez-vous que...

• *Le tout premier parfum à utiliser des produits de synthèse* dans sa composition a été *«Fougère Royale»* d'Houbigant en 1866. Le premier grand parfum moderne cependant, encore très demandé de nos jours, à contenir un élément synthétique, la vanilline, est *Jicky de Guerlain*, en 1889.

• *La première vedette de scène* à endosser la publicité d'un parfum, précédant en cela Catherine Deneuve, Isabella Rosellini et Candice Bergen, a été *Sarah Bernhardt*. C'était en 1900 et c'est le parfumeur Bichara qui l'a convaincue d'un tel exploit.

• *La grande ballerine Pavlova* s'inondait de «Quelques Fleurs» d'Houbigant en 1912. Elle était loin de se douter, qu'un jour, la grande maison Payot lui consacrerait un parfum... en 1976.

• Ce n'est qu'en 1903 qu'on a trouvé le secret des *essences incolores* en parfumerie. Maintenant il est très rares qu'un parfum tache un vêtement.

• *Salvador Dali* a créé de nombreux flacons pour des parfums de renom tels: «Roi Soleil» de Schiaparelli et il a illustré «Coup de Feu» de Marquay. Mais ce n'est qu'en 1983 qu'il a lancé son propre parfum: *«Le» de Dali*, à base de mousse de chêne, de myrrhe et d'encens.

• Quant à *Jean Cocteau*, «le prince des poètes», il a supporté la publicité de «Fleur de France» des parfums d'Orsay en 1919.

• *Bandit de Piguet* créé en 1944 a une adepte célèbre. Il est en effet le parfum fétiche de Michèle Morgan... qui n'en a jamais changé en plus de trente ans. Bandit est à base de musc, de jasmin et d'oeillet sauvage.

• Il existe en parfumerie un *«baume du Canada»* tout comme un baume du Pérou ou de Tolu. Son essence est sécrétée par un arbre que l'on entaille tout comme l'érable.

• Au règne de la Terreur, qui a suivi la Révolution française, on créa un parfum appelé: *Guillotine*! Un parfum à vous en faire perdre la tête!

• *Les parfums les plus vendus en France en ce moment sont dans l'ordre:*

No 5. Chanel
Arpège. Lanvin
Shalimar. Guerlain
L'Air du Temps. Nina Ricci
Chloé. Lagerfeld
Opium. St Laurent.

• *Les parfums les plus vendus en ce moment au Québec sont:*

L'air du Temps. Ricci
Oscar de la Renta
Opium. St Laurent
Anais-Anais, Cacharel
Chloé Lagerfeld.

«Le parfum est plus qu'un plaisir accordé au sens de l'odorat. C'est un message. Une émanation de la femme qui révèle par le choix de telle ou telle odeur ses goûts, ses aspirations secrètes. C'est une affirmation de soi. Un moyen de retenir l'attention de l'autre. Parfois de le séduire.»

Les parfums-couture

Le premier parfum couture fut créé en 1911 par l'un des plus grands et plus intuitifs couturiers français de l'époque: Poiret, maître incontesté des drapés suprêmement élégants.

Poiret fonde pour ses parfums la maison Rosine, du nom de sa fille aînée. Nom aussi de son premier parfum. Mais il fut éphémère et n'est jamais parvenu jusqu'à nous.

Dans les années 20-30 le principe du parfum-couture s'impose considérablement. Pour les élégantes, il fait désormais partie des accessoires indispensables, au même titre que les bijoux et les escarpins raffinés.

Nous assistons alors à l'éclosion de nombreuses Sociétés de Parfums, parallèles au Maisons de Couture. De somptueux lancements se succèdent:

Chanel: No 5.
Jean Patou: Amour-Amour; Moment suprême; Joy.
Lanvin: My Sin; Arpège.
Worth: Je Reviens.
Schiaparelli: Shocking.

Mais c'est vraiment dans les années 60 que le parfum prend un rôle «d'objet d'art» mis à la portée d'une

147

clientèle toujours sélective mais de plus en plus étendue.

Le mouvement de diffusion est dû à la nouvelle vague des couturiers français, soucieux de préserver l'image de qualité et de suprématie du parfum français à travers le monde. Une image qui semble menacée par les innovations internationales venues notamment d'Italie et d'Amérique.

Ces parfums sont fidèles au style de ceux qui les endossent. Ils reflètent le luxe, la qualité et l'originalité des grandes maisons.

On assiste donc au bourgeonnement parfumé des:

Yves St Laurent: «Y»
Guy Laroche: Fidgi
Marcel Rochas: Madame Rochas
Hermès: Calèche
Paco Rabanne: Calandre

De nos jours, 15 couturiers célèbres, d'origines différentes, remportent le suffrage universel, tant par le sillage qu'ils ont approuvé que par les formes qu'ils ont modelées pour nous. Vous êtes peut-être l'ambassadrice de l'image de marque de l'un d'eux.

Nous vous les présentons brièvement et vous proposons le petit jeu de découvrir, si vous êtes plutôt «Dior» ou plutôt «Rabanne»... à moins que vous ne soyez de celles qui s'adonnent à St Laurent. Voyons voir.

Par ordre d'entrée en scène:
Chanel

Elle s'appelait Gabrielle. En 1916 elle fit une révolution totale dans le domaine de la mode en libérant les

Coco Chanel

La grande Chanel.

femmes de leurs guépières et de leurs corsets oppri-
mants. Elle leur substitua la souplesse de ses tweeds et
de ses jerseys, la simplicité de ses pantalons et l'aisance
de ses robes floues.

Elle a su créer ce qui a défié le temps: le pull-over; «l'indispensable petite robe noire»; la robe chemisier; le blazer; l'ensemble cardigan; les bijoux fantaisie... et la longueur Chanel (frôle-genoux, juste en dessous).

Elle a aussi été la première à lancer un parfum couture portant le nom de sa maison: Chanel No 5.

On l'a nommée «le couturier le plus représentatif du XXe siècle».

Chanel, c'est un style. Un esprit loin du conservatisme, mais aussi loin du tape-à-l'oeil. Elle a fait de la mode une affaire de bien-être. Pour elle, «la mode ce n'est pas ce qui se démode. C'est la permanence du bon goût».

«Le luxe, ce n'est pas le contraire de la pauvreté. C'est le contraire de la vulgarité.» Ainsi parlait la grande demoiselle. Ses parfums sont le reflet de cette philosophie.

1924: création du No 5, qui deviendra un des plus grands classiques de tous les temps. On demandait un jour à Marilyn Monroe ce qu'elle portait au lit. Elle répondit: Chanel No 5... il venait d'entrer dans l'immortalité!

Son flacon est exposé en 59 au Modern Art Museum de New York.

Résolument contemporain, il convient à la femme socialement active et cultivée.

Chanel l'a baptisé ainsi parce qu'il était le cinquième à lui être présenté. Le 5 était son chiffre fétiche. Elle présentait toujours ses collections le 5 du cinquième mois.

Composition: ylang-ylang, jasmin, rose de mai.

La seule chose que Marilyn portait au lit: Chanel No 5.

Toujours à la mode: le style Chanel.

1970: création du No 19, date anniversaire de Chanel. Il a été créé pour elle. Pour la femme sûre d'elle, désinvolte, qui sait choisir ses vêtements, ses vins, ses amours.

Composition: narcisse, iris, mousse de chêne.

No 22, lancé, dit-on, en 1924 est pour la femme active qui sait imposer ses goûts et son style.

Composition: tubéreuse, néroli, chèvrefeuille.

1974: Cristalle. Pour la sportive, dynamique et enjouée.

Composition: citron, jonquille, bois de rose.

Jean Patou

C'est en 1919 que Jean Patou ouvre sa maison de haute couture à Paris, juste après la guerre. Il devient vite le couturier des royautés. La reine de Roumanie et celle d'Espagne sont ses meilleures clientes.

En 1925 il révolutionne le monde de la mode en ramenant des États-Unis six mannequins américains. C'est cette année-là que naît son premier parfum: Amour-Amour. En 1929 c'est un «Moment Suprême» dont nous n'avons plus souvenance.

1931: lancement de «Joy», réputée à l'époque le parfum le plus cher du monde. Il le crée pour les meilleures clientes de sa maison de couture, parmi lesquelles on compte certaines des plus belles femmes de Paris. Un parfum somptueux, parfum du soir pour les réceptions fastueuses.

Composition: rose de Damas, jasmin, tubéreuse.

Il était le préféré de Grace de Monaco. Sophia Loren aussi, avant qu'elle ne lance son propre parfum. Il est celui d'Elizabeth Taylor et de Jacqueline Onassis.

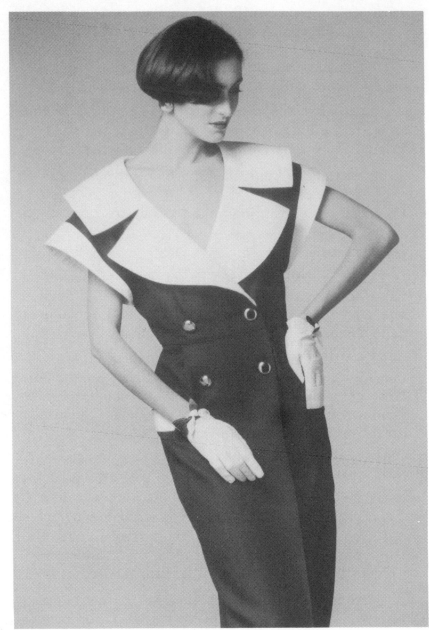

Le style Jean Patou. Joy, lui, est pour le grand soir.

1972: création de « 1000 », parfum en édition limitée. Pour celles qui accordent peu d'importance aux choses qui n'émanent pas du coeur. Pour celles qui sont attentives à l'autre.
Composition: absolu de jasmin, violette, osmanthus de Chine. (Vendus en flacons numérotés.)

Rochas

Pour Rochas tout a commencé en 1925. Ce jeune couturier a décidé de conquérir Paris où règnent les jupes courtes, les nuques rasées et le charleston. Tout de suite on le consacre « couturier de la jeunesse ».

Ses créations audacieuses marquent profondément son époque. En 1944 débute une nouvelle aventure. Marcel Rochas signe son premier grand parfum féminin: Femme. C'est là aussi un succès immédiat. Il l'avait créé pour sa femme Hélène Rochas qui s'occupe maintenant de la diffusion de tous les accessoires de la maison de couture.

1945: Femme, pour les femmes vibrantes, troublantes et séductrices.
Composition: pêche, ylang-ylang, patchouli.

1960: Madame Rochas, tendre, délicat et romantique.
Composition: iris de Florence, tubéreuse, jasmin blanc.

1970: Eau de Roche: vif, gai, tonique.
Composition: citron vert, verveine, mandarine.

1978: Mystère. Profond, troublant, secret.
Composition: lentisque, magnolia, frangipanier.

Christian Dior

Christian Dior rêvait d'être architecte. Il débuta pourtant sa carrière professionnelle comme modeliste

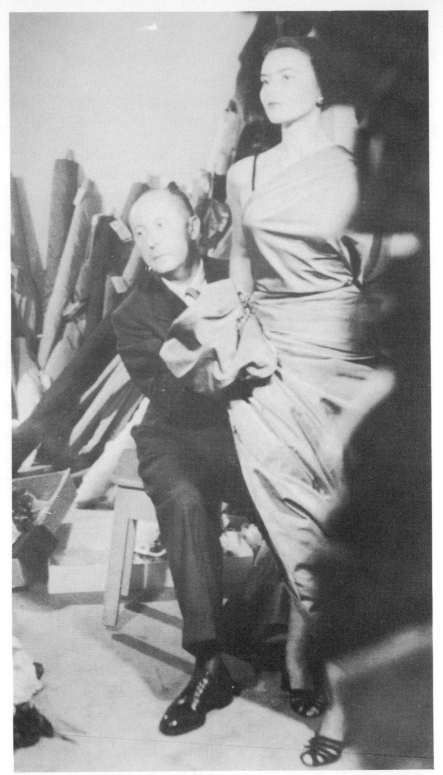

Christian Dior à l'heure du «new look».

Le style Dior d'aujourd'hui. La pérennité dans l'élégance. Pour accompagner Dior-Dior.

chez Piguet et Lucien Lelong, les grands noms du domaine de la mode, à l'époque.

En 1947, il fonde sa propre maison de couture à Paris et quatre mois plus tard, après la présentation de sa première Collection, la presse du monde entier se fait l'écho du «new look», qui venait de lancer le style Dior: femme-fleur, épaules douces, buste épanoui, jupe corolle.

En redonnant au corps féminin ses courbes oubliées, il compose cette élégance subtile qui sera son image de marque et qui s'est gagné tant d'adeptes dans le monde entier.

L'année de la première collection, il crée une seconde Société totalement indépendante de la couture: la Société des Parfums Christian Dior, et lance le célèbre Miss Dior.

Enfermé dans une petite amphore Baccarat, il en vendit 200 flacons à quelques clients privilégiés. Quelque 35 ans plus tard, avec un chiffre d'affaires de près de deux milliards de francs, la maison compte quatre parfums.

1947: Miss Dior. Racé. Élégant. Un des grands parfums-couture.
Composition: gardénia, patchouli, rose.

1956: Diorissimo. Parfum d'été par excellence. Fleuri, frais, harmonieux.
Composition: jasmin, muguet des bois, lys Saint-Jacques.

1972: Diorella. Pour la femme active, sportive, décontractée.
Composition: citron de Sicile, basilic, bergamote.

1979: Dioressence. Le parfum barbare de Dior. Puissant, tenace, étrange.
Composition: géranium, cannelle, patchouli.

Givenchy

Hubert de Givenchy, de pure aristocratie française, a mené la vie de château dès sa naissance. Deux villages portent le nom de ses ancêtres dans la région de Beauvais: Givenchy-le-Noble et Givenchy-en-geôle. Son grand-père maternel était le directeur général des célèbres tapisseries du Gobelin.

Élevé dans un monde où la beauté avait force de loi, Hubert fait montre de talents exceptionnels dans le dessin de mode. C'est à 17 ans qu'il commence, génie en herbe, chez Jacques Fath. Deux ans plus tard, il joint le renommé Schiaparelli.

En 1951, à 24 ans, il ouvre son propre Salon, Plaine Monceau, et y présente sa première collection de haute couture avec grand succès.

En 1957, il forme la division: Les Parfums Givenchy et crée son premier parfum pour une vedette américaine mondialement connue qui, paraît-il, exige en retour de ne porter que des toilettes signées de lui dans ses films: Audrey Hepburn.

1957: Le De. Parfum frais, jeune, étincelant.
Composition: rose, muguet, absolu de cassis.

1957: L'Interdit. Exotique, mystérieux, secret.
Composition: bois précieux, tubéreuse, fougère.

1970: Givenchy 111. Parfum de classe pour la femme d'action, qui se veut belle tout en étant active.
Composition: jasmin, coriandre russe, mousse de chêne.

1980: Eau de Givenchy. Pour la femme sportive pleine de vie et de fantaisie.
Composition: Essence d'orange, pamplemousse, tubéreuse.

Le meilleur porte-parole du style Givenchy: Audrey Hepburn.

Le neveu d'Hubert, Philippe de Givenchy, a créé le splendide flacon noir, rond et plat, en forme de galet, de SILENCES de Jacomo.

Ce flacon a gagné le «Label d'Esthétique Industriel» en 78 et «l'Oscar du Packaging» en 82.

La famille reste dans le domaine de la parfumerie, mais diversifie ses intérêts.

Hermès

La maison Hermès, établie à Paris en 1837 par Thierry Hermès, fabriquait des harnais pour les carrosses du temps.

En 1880, le fils du fondateur devint un des plus grands selliers de l'époque en fabriquant des harnais de plus en plus raffinés et des selles de luxe pour les calèches les plus élégantes du Bois de Boulogne.

Une veste Hermès faite des plus beaux carrés de soie au monde.

À la troisième génération, on en est déjà à la fabrication des fameux sacs Hermès et le petit-fils, Émile, devient couturier de renom. Depuis lors, Hermès symbolise un certain art de vivre français où le bon goût et la qualité sont exigences premières.

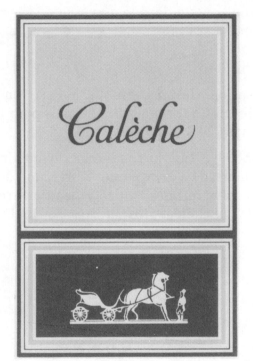

Hermès. Son premier parfum, Calèche, mit 124 ans à voir le jour.

La maison en pleine expansion crée des montres, des bijoux et les fameux carrés de soie dont la réputation reste inégalée dans le monde. Le prêt-à-porter suit.

En 1961, la succursale des Parfums Hermès voit le jour avec la création au mois de mai de «Calèche» devenu rapidement l'un des grands classiques de la parfumerie française.

1961: Calèche. Pour la femme distinguée, un peu dis-
tante, un brin sentimentale.
Composition: jasmin, gardénia, essence de cèdre.

1974: Amazone. Pour la vive, l'audacieuse pour qui la
vie est une conquête.
Composition: framboise, narcisse, santal.

Yves St Laurent

Yves St Laurent a été formé dans les ateliers de
Dior. À sa mort, il devint son successeur comme créateur des collections de la maison. Mais il dut s'absenter
pour faire son service militaire et à son retour la place
était prise.

Il décida donc, avec l'aide du grand promoteur
Pierre Bergé, d'ouvrir sa propre maison. Et en 1962, il
présentait sa première collection signée: Yves St Laurent. Un triomphe.

Depuis, il a habillé les plus grands noms du monde
entier. Certaines vedettes de cinéma lui vouent une sorte d'adoration. Parmi ses inconditionnelles, on compte:
Catherine Deneuve, Zizi Jeanmaire, Edwidge Feuillè-
re, la vicomtesse de Ribes, Hélène Rochas (eh oui!), la
baronne Guy de Rothschild.

St Laurent allie fantaisie et rigueur. Discipline et
aisance. Luxe et austérité. Chanel a dit de lui qu'il était
son seul véritable successeur parce qu'il a su briser certaines traditions et devenir un novateur, avec ce
sixième sens qui lui permet de pressentir ce que les
femmes désirent à un moment précis.

Ainsi en est-il de ses parfums. Il les crée pour un
certain type de femme, élégante, libre, décontractée.
Un peu secrète aussi, indépendante et artiste.

Le maître Yves St Laurent.

1964: «Y». Très couture. Classique, raffiné, séduisant.
Composition: ylang-ylang, iris, vétiver.

1971: Rive Gauche. Moderne, jeune, brillant.
Composition: chèvrefeuille, magnolia, santal de Mysore.

1977: Opium. Mystérieux, sensuel, pénétrant.
Composition: girofle, oeillet, benjoin.

1983: Paris. Tendre, passionné, troublant.
Composition: fleurs d'aubépine, capucine, violette.

Une des inconditionnelles de St Laurent: Catherine Deneuve.

Guy Laroche

Né à La Rochelle (d'où sont partis bon nombre de nos ancêtres), Guy Laroche commence sa carrière de styliste dans le studio du réputé couturier parisien Jean Dessès. Après huit années de collaboration fructueuse, il se rend aux États-Unis pour y étudier les techniques de marketing et y prendre le pouls du design.

En 1957, de retour à Paris, il crée sa première collection qui a d'emblée un très grand succès. Elle combine le «look» jeunesse qu'il a admiré aux U.S.A. avec le chic traditionnel français.

En Amérique il fait même la première page du Life Magazine. Honneur insigne et rarissime pour un couturier.

Ses clientes s'appellent maintenant Charlotte Ford (épouse de l'ex-président); Lavina Niarchos (le célèbre armateur); Melina Mercouri; Elsa Martinelli; Madame Pompidou et Françoise Sagan.

Guy Laroche a su introduire l'aisance dans l'élégance. Il a le flair pour les beaux tailleurs souples et pleins d'allure, pour les blazers aux épaules bien équarries, superbement balancés. Il est le créateur des manteaux réversibles, bien que super-légers, pour les grandes voyageuses.

En 1966, en même temps que l'ouverture de sa boutique de prêt-à-porter pour hommes, il lance son premier parfum: «Fidgi», classé aujourd'hui parmi les 5 plus vendus aux États-Unis.

1966: Fidgi. Parfum d'exotisme intérieur et de séduction qui incite à l'évasion.
Composition: galbanum, assorti de lilas, musc du Tibet.

Le créateur de Fidgi: Guy Laroche.

Il a créé certains des plus beaux cabans du Tout-Paris.

1977: J'ai Osé. Pour une femme spéciale, confiante en elle-même et prête à risquer pour mener une vie exaltante.
Composition: jasmin, épices d'Orient, baume d'Arabie.

1970: Eau Folle. Pas vraiment un parfum, mais une eau fraîche, pour la naturelle, la sportive, la jeune fille.
Composition: marjolaine, thym, muscade.

Paco Rabanne

Né à San Sébastien, au pays basque (surtout ne lui dites pas qu'il est espagnol), Paco Rabanne vient très jeune s'inscrire, à Paris, aux Beaux-Arts, section architecture.

De ses premières amours, il garde la passion des matériaux et des techniques nouvelles. Mais il trouve fastidieux de dessiner sur des planches. Alors, comme sa mère est première main chez Balenciaga, il s'intéresse au dessin-couture et très vite collabore avec Dior et Givenchy.

De plus, il dessine des tissus pour Leonard, des foulards pour Cardin et Lanvin et crée les premiers souliers à bouts carrés pour Charles Jourdan.

Il décide enfin de s'établir à son propre compte et en 1965, la presse internationale se fait l'écho du succès de ses premiers modèles de robes en plastique. Elles seront d'ailleurs exposées plus tard au Modern Art Museum de New York.

En 67, c'est la révolution mondiale de la robe de métal.

En 68, celle des robes en jersey d'aluminium.

L'innovateur Paco Rabanne.

Il reçoit le «Tibère d'or», décerné par les cinq plus grands journalistes du monde pour la mode d'avant-garde.

En 1969 enfin, il crée son premier parfum: Calandre. Paco Rabanne a de plus habillé les vedettes de trente et un films européens, dont Jane Fonda dans Barbarella.

1969: Calandre. Il exprime la vitesse, la rapidité de la vie moderne. Original, tenace, il étonne.
Composition: Effluves vertes, note de cuir, pointe métallique.

1979: Métal. En dépit du nom, un parfum d'une grande féminité. Un floral légèrement boisé qui aurait du changer de nom avec son prédécesseur.
Composition: rose, narcisse et bois précieux.

Ses robes métalliques lui ont inspiré: Métal.

Loris Azzaro

Né à Tunis, de parents italiens, Loris est un anti-conformiste, assez paresseux à l'étude, dit la biographie... mais qui est reçu bachelier à 17 ans. À cette époque ses petites amies suivent religieusement ses conseils sur leur façon de s'habiller.

Presque rangé, il devient professeur de lettres, prend épouse... et s'intéresse gentiment aux modèles que sa jeune femme fait fabriquer pour des boutiques de Tunis. Il décide soudain de monter à Paris en 62 pour y mettre au point une boutique d'accessoires-mode. Ca marche bien.

Alors, en 1968, grande année de la révolution étudiante, il lance sa première collection (ça valait mieux que des pavés), et fait la couverture de «Elle» avec une robe très audacieuse, légère, en total contraste avec l'atmosphère survoltée du temps. Il est lancé.

Il s'installe Faubourg Saint-Honoré et habille soudain les célébrités mondiales. On le recherche surtout pour ses robes du soir.

C'est pourquoi il crée en 1975 un parfum pour se marier avec ses plus belles tenues de gala.

1975: Azzaro. Pour celles qui veulent séduire. Dans la tradition des «Joy» et «Shalimar». Voluptueux, tenace.
Composition: rose de Bulgarie, iris de Florence, tubéreuse.

1981: Eau d'Azzaro. Pour la sportive, la femme émancipée, jeune d'esprit.
Composition: mimosa, thym, sauge.

Louis Azzaro.

Karl Lagerfeld

Jeune garçon de 14 ans, en Allemagne, Karl Lager-feld savait déjà ce qu'il voulait: «dessiner les vêtements les plus beaux et les plus élégants qu'une femme puisse porter.» C'est pourquoi, à 14 ans, il se rend à Paris, seul endroit où réaliser en plénitude ce projet ambitieux.

À 16 ans, il gagne le premier prix d'un concours international de dessin de robes, décerné par «Le Conseil International de la Laine».

Puis il voyage à travers le monde pour mieux cerner les grandes tendances-mode. Il étudie la philosophie, la peinture. Il devient même collectionneur d'art.

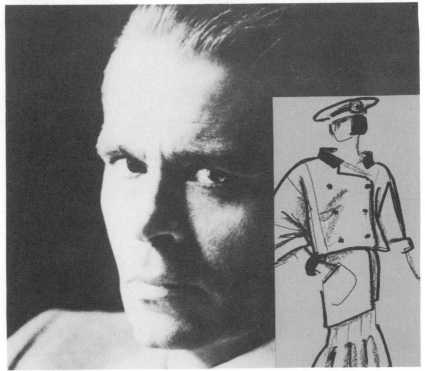

Le prolifique Karl Lagerfeld.

174

À son retour, il crée sa première collection de prêt-à-porter pour la maison Chloé. Un immense succès. Il était normal que sa créativité et sa sensibilité l'amènent à habiller la femme d'une fragrance. Ce fut Chloé, en 1975.

Lagerfeld signe maintenant toutes les collections Chanel.

Depuis, Lagerfeld a quitté Chloé pour devenir le grand styliste attitré de la maison Chanel. C'est lui qui, dorénavant, crée toutes les collections sous la griffe de la grande demoiselle qui n'est plus.

1975: Chloé. Parfum sublime, magique, élégant et tendre.
Composition: jasmin, rose, fleurs d'oranger, vétiver.

1982: KL. Inattendu, sensuel et raffiné. Pour la femme imprévisible.
Composition: mandarine, fruits de la passion, myrrhe.

Oscar de la Renta

Né à Saint-Domingue de parents espagnols, Oscar de la Renta suit d'abord des cours d'art abstrait à Madrid. Mais sa rencontre inopinée avec le grand couturier Balenciaga qui lui découvre de grands talents de modélistes change l'orientation de sa carrière.

C'est Paris qui le consacre. En 1965, il émigre à New York et y ouvre sa propre maison de couture.

De la Renta a toujours dessiné ses modèles pour la femme romantique. «Pudique, mais passionnée, qui aime aller au bout de ses impulsions.»

C'est pour elle qu'il a créé son parfum Oscar de la Renta qui a reçu en 78 un double Oscar de la «Fragrance Foundation Award». L'un pour le parfum ayant obtenu le plus grand succès lors de son lancement, l'autre pour le plus beau flacon de l'année.

1977: Oscar de la Renta. Pour la femme un peu secrète, un peu mystérieuse, qui intrigue et séduit.
Composition: tubéreuse, rose de mai, opopanax d'Abyssinie.

Oscar de la Renta.

Cacharel

Cacharel a été l'un des premiers couturiers à proclamer, dans les années 60, que l'élégance n'était pas le strict apanage de la haute couture. Il a voulu la rendre

Jean Cacharel, qui a démocratisé la haute couture.

accessible à un vaste public, par la diffusion extensive d'une mode sportive, mais élégante. Naturelle mais distinguée. Sage mais attirante.

Il a créé la première marque française de prêt-à-porter féminin. La sienne est vendue aujourd'hui dans plus de cinquante pays et soixantes boutiques portent son nom.

On l'a baptisé le couturier du non-conventionnel.

Son premier parfum reflète cet esprit. Par son contenu, mais aussi par son ravissant contenant d'opaline blanche, unique en son genre, de forme et de conception radicalement différentes.

1978: Anais-Anais. Un parfum féminin, délicat. Pour la femme à la fois sportive et romantique. Vive et douce.
Composition: lys, jasmin, vétiver de Bourbon.

Ses flacons sont les plus adorables de toute l'industrie de la parfumerie.

Jean-Louis Scherrer

Né à Lyon, en France, de parents alsaciens, Jean-Louis Scherrer étudie la danse classique à Paris. Pendant les entractes, il dessine des costumes de théâtre.

Jean-Louis Scherrer.

Une cliente fidèle: Sophia Loren.

Immobilisé à la suite d'un accident, il s'essaie aux croquis de mode et, rétabli, il les présente à Dior. Celui-ci les trouve très à son goût et lui propose un poste dans sa maison. On est en 55.

Il y fait ses classes en compagnie du maître, puis d'Yves St Laurent.

Il part ensuite au Japon, fait de nombreux voyages pour s'imprégner des divers courants novateurs et, en 62, il s'installe à Paris pour y présenter sa propre collection.

Il compte rapidement parmi ses clientes Madame Patino (l'épouse du roi de l'étain); Farah Diba, alors impératrice d'Iran; la baronne Thyssen et d'autres têtes couronnées d'Europe et d'Orient.

Bergdorf Goodman, aux États-Unis, conclut avec lui un contrat d'exclusivité pour toute l'Amérique. C'est la gloire. Ses clientes les plus fidèles deviennent Sophia Loren, Raquel Welch, Paola de Belgique et la famille Kennedy.

En 1979, il lance, en accord avec la maison Harriet Hubbard Ayer, son premier parfum. Il porte son nom.

1979: Jean-Louis Scherrer. Un parfum pour la femme
        éclatante, vibrante et racée.
Composition: galbanum d'Iran, iris de Florence, mousse
        de Yougoslavie.

Emmanuel Ungaro

Né à Aix-en-Provence, Emmanuel commence dans la vie en aidant son père tailleur. À 22 ans, il décide d'aller tenter sa chance à Paris. Et c'est avec Balenciaga qu'il travaille pendant six ans pour parfaire sa technique.

En 1965, il ouvre sa propre maison de couture. Tout de suite il étonne et il est suivi par toute une foule de jeunes femmes cadres enthousiastes. Son style est à part: des coupes très rigoureuses, mais qui jouent avec des tissus luxueux et des imprimés haut en couleur. Des

Emmanuel Ungaro. Sa plus récente création: un parfum, Diva.

couleurs qu'il a absorbées toute son enfance, par tous les pores de sa peau, dans sa belle Provence.

On l'a surnommé «le peintre de la couture».

Les femmes qui l'inspirent sont conquérantes, sûres d'elles-mêmes, insolemment féminines. C'est pour elles qu'il a créé son premier parfum: Diva.

1983: Diva. Pour celle qui vit sans compromis ses joies, ses attirances et ses passions.
Composition: rose marocaine, tubéreuse indienne, narcisse.

«Le parfum combine le besoin de communiquer avec le désir viscéral de ne pas être oublié.»

Jacques Vignaud

Les Cartier, joailliers depuis 1847.

Les parfums-joaillerie

Certains grands joailliers, qui savent si bien créer des souvenirs éternels, n'ont pu résister à mettre leur griffe sur l'un des plus beaux joyaux du domaine de la beauté: le parfum.

Deux, entre autres, parmi les plus célèbres, ont parachevé de petits chef-d'oeuvre tant par le réceptacle de haut luxe enrobant le produit (il fallait s'y attendre) que par la somptuosité de la fragrance elle-même.

Ce sont Cartier et Van Cleef & Arpels.

Cartier

La maison Cartier est née en 1847 et son fondateur, lancé par la princesse Mathilde, cousine de Napoléon III, devient le joaillier du Tout-Paris. En 1898, Alfred Cartier, son fils, hisse l'entreprise au niveau mondial en ouvrant Cartier, Londres en 1902; et Cartier, New York, en 1908.

Son aîné, Louis Cartier, grand ami du prince de Galles, fut doté du titre de «joaillier des rois et roi des des joailliers». Passionné d'horlogerie, c'est lui qui invente:

la première montre-bracelet; la montre TANK; la première montre étanche de luxe, pour le pacha de Marrakech.

Il est également le créateur du diamant baguette et de la fameuse bague trois ors spécialement conçue pour Jean Cocteau en 1923.

Louis Cartier, amoureux des matières précieuses, a réalisé quantité de flacons d'art. Il avait toujours eu la volonté d'associer le parfum à la bijouterie. Mais ce n'est qu'en septembre 1981 que la maison Cartier lance son parfum Must. C'est le premier parfum-bijou rechargeable.

Le point culminant, en fait, de la lignée des «Must» de Cartier, qui a connu un formidable engouement dès son lancement en 68 avec le fameux briquet Cartier. Un succès qui n'a fait que croître avec la montre or et acier Santos et son célèbre bracelet à vis, sa ligne de maroquinerie bordeaux à coins dorés et son splendide stylo ovale, orné de trois anneaux.

Must est à l'image de la maison: sophistiqué, élégant et original. Son eau de toilette a une composition bien différente de celle de son parfum du soir. Seul le nom reste le même. Une autre innovation dans le domaine.

Composition: eau de toilette Must: mandarine, rose, vétiver. Pour celles qui voyagent. Qui ont des journées remplies de dynamisme et d'action.

Parfum soir, jasmin, jonquille, ambre gris. Pour accompagner les soieries précieuses, les fourrures. Pour se diffuser sous les lustres des grandes soirées.

Parfumeur depuis 1981. Le flacon reste un bijou.

Leur flacon est en soi un bijou. Celui de la table de toilette. Le flacon voyage, dans son élégante gaine de cuir, est de la même classe.

Van Cleef & Arpels

Ils sont quatre, jeunes et pleins d'allant. Ils descendent d'une longue lignée de joailliers et de diamantaires. En 1906, Julien, Louis et Charles Arpels, avec leur beau-frère Alfred Van Cleef vont donner leur nom jumelé à une minuscule boutique de la Place Vendôme... qui va à son tour donner naissance à l'une des premières maisons de la joaillerie mondiale.

La parfaite connaissance des pierres, un goût inné pour la beauté, l'équilibre et la mesure, l'audace aussi, ont alimenté cette ascension fulgurante. Des succursales à travers la France voient le jour. Puis c'est l'implantation de la célèbre maison de la cinquième avenue à New York qui établit Van Cleef & Arpels au tout premier rang de la joaillerie aux États-Unis. Une performance assez rare pour une entreprise française.

Avec son premier parfum First, lancé en 1976, Van Cleef & Arpels passent de la parure éternelle à la parure la plus fugace.

Composition: bourgeon de cassis, rose de Bulgarie, narcisse. Un parfum raffiné, sophistiqué avec une sensualité sous-jacente et tenace.

Son eau de toilette, spécialement étudiée, avec une concentration deux fois plus importante que l'ensemble des autres marques, a la performance et la ténacité d'un parfum.

Le flacon de parfum est plaqué d'or fin. First. Les joailliers Van Cleef & Arpels y ont apposé leur sceau.

«Le parfum, c'est un style...
un style de vie.»

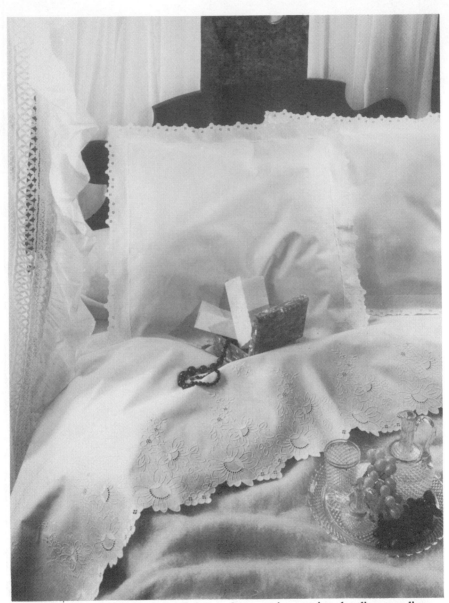

Mettez un peu de talc sur le bord de vos draps, puis vaporisez-les d'un peu d'eau de toilette, pour un concept d'environnement total.

Les parfums d'ambiance

Quoi de plus agréable en rentrant chez soi que de retrouver en ouvrant la porte une odeur sécurisante qui vous plonge instantanément dans une atmosphère de bien-être. Un parfum, le vôtre, et qui identifie ce lieu que vous avez voulu accueillant, original, embaumant.

Le plaisir de vivre dans sa maison tient beaucoup aux senteurs qu'on y respire. De tous temps, pour créer un climat de détente et de relaxation, du plus lointain des âges, on a utilisé des huiles à brûler et des bouquets odorants composés d'herbes fines, d'épices et de fleurs séchées.

LES HÉBREUX, on l'a vu, en faisaient grand usage.

LES PERSES aimaient tant les bonnes odeurs qu'ils avaient coutume de porter à la maison des couronnes faites de myrrhe entrelacée d'aromates qui répandaient dans chaque pièce de bienfaisants effluves. Leurs lits et leurs tapis étaient jonchés de pétales de roses aux jours de fêtes. Aujourd'hui, quelques gouttes de «Paris» d'Yves St Laurent entre deux draps et au coin d'un rideau donnent le même résultat. C'est le progrès!

POUR LES ARABES, le parfum est une odeur de paradis. Et il est dit dans le Coran qu'au ciel le sol de ce lieu enchanteur est composé de farine pure de fleurs, mêlée au musc et au safran». Comme quoi le suprême délice est d'avoir sa dernière demeure embaumée en permanence.

EN INDE, d'ailleurs, les temples sont déjà construits de bois odorants. Les senteurs sont de ce fait imprégnées éternellement dans les murs même. Pour l'Indien favorisé, le parfum est synonyme de joie et un compagnon indispensable à la vie quotidienne. Le musc, le nard, l'ambre gris, le patchouli et le vétiver se retrouvent toujours chez lui, sur fond d'ambiance.

AU JAPON, on utilise depuis le XIVᵉ siècle pour parfumer les murs de sa maison, un mélange d'épices et de bois d'agar, dont l'arôme passe pour être «la plus haute expression de la beauté».

AU QUÉBEC, l'Orient a d'ailleurs fait sa marque dans plus d'un foyer chez nous. Ses bâtons, cônes et bâtonnets au santal, à la frangipane, à la rose ou au jasmin font passer dans les pièces un courant d'exotisme recherché.

Ces odeurs lourdes et pénétrantes conviennent mieux cependant à la chambre à coucher et à l'heure du lit qu'aux conversations animées qui suivent les agapes fraternelles.

Elles sont moins accordées aussi à la saveur de nos mets occidentaux et sont en général à proscrire de nos cuisines. L'encens est une odeur du soir... ou de chapelle ardente. À vous de déterminer où vous désirez célébrer votre culte... et à quel dieu vous réservez vos rites. Mais éloignez-vous le plus possible de la salle à manger!

- Par réaction à ces émanations éminemment sensuelles, certains fabricants ont mis sur le marché des huiles à brûler à l'odeur de fraises des bois, de pommes vertes ou de cannelle. D'autres ont multiplié les sachets parfumés que l'on niche au creux d'un coussin; dans ses tiroirs; sur les étagères de sa garde-robe, afin d'y répandre des odeurs fraîches de sous-bois ou de tendres fleurs.

- Il y a même de grandes maisons, comme Chloé de Lagerfeld, qui vendent de ravissants sachets de satin imprégnés de l'odeur de votre parfum personnel. Pour le luxe d'un environnement global à son odeur.

- Pour votre salle de bain le procédé est plus simple encore. Si vous utilisez pour un temps le même bain moussant parfumé ou mieux la même huile de bain, comme l'eau et la chaleur véhiculent les odeurs, vos murs capteront ces effluves embaumées et révéleront subtilement vos secrètes préférences à chaque visite.

- Mais si vous voulez faire confiance à un professionnel des parfums d'ambiance, alors Jean Laporte, l'Artisan Parfumeur qui a pignon sur la rue Crescent, à Montréal, peut répondre à vos besoins.

Il a mis au point toute une série de parfums-couleurs. Ceux-ci correspondent à différents styles d'ameublement, donc aux personnalités différentes qui ont présidé au choix de ces décors.

Le violet est pour les fétichistes du cuir.
L'indigo pour les inconditionnelles du style «Laura Ashley».
Le bleu pour les «rétros».
Le vert pour les «écolos».
Le jaune pour les amoureuses de bois naturels et de belles pierres de taille.

L'orange pour le genre douillet, tout confort.
Le rouge pour les passionnées d'Orient.
Le blanc pour les avant-gardistes, les «design».

Vous pouvez même changer d'odeur en changeant de pièce si le coeur vous en dit car ces parfums-couleurs sont faits de notes toutes parfaitement compatibles.

Vous pouvez les pulvériser pour obtenir un effet instantané (l'invité arrive dans 10 minutes). Les brûler, sous forme d'huile, dans de petites lampes à mèches. Ou mieux, en répandre sur des rondelles d'amiante. Vous les placez sur le sommet des abat-jour et sous le globe des lampes. Partout où la chaleur permet de diffuser lentement l'effluve à travers toute la pièce. L'effet dure environ 2 heures.

Si vous répétez quotidiennement l'opération, vos chambres seront marquées du sceau indélébile de ce raffinement parfumé.

Avec un parfum, vous n'êtes jamais seule. Il y a toujours une présence à vos côtés que vous pouvez sentir, détecter. Une présence qui vous accompagne.

Une présence amie, désirée... fidèle. Quoi de plus rare!

C'est pourtant à votre portée. Et vous avez aujourd'hui tous les atouts en main pour réussir cette belle complicité!

« Parfum. Conquête du plus subtil de nos sens. Délateur. Car tu révèles nos secrètes préférences. »

Colette

10 vedettes québécoises
et leurs parfums

Renée Claude (cancer). Une grande fille toute simple... que la presse veut à tout prix mystérieuse.

Parfum de jour: Fleurs d'Orlane.

Parfum du soir: Casaque de Jean d'Albret (discontinué).

Renée cherche à le remplacer par un parfum qui saura la séduire, mais qui n'est pas encore trouvé. Ce livre, lui sera, je l'espère, une aide précieuse.

Renée Martel (cancer). Directe, spontanée, naturelle. Elle cherche le raffinement dans un parfum-joaillerie haut de gamme:

Parfum de jour: First de Van Cleef & Arpels. Eau de toilette.

Parfum du soir: First. Extrait.

Dominique Michel (balance). Du vif argent. De la dynamite. Une hyper-activité... qui cache un fond de grand romanstisme, révélé par «L'Air du Temps» de Nina Ricci, son parfum jour durant de nombreuses années.

Son petit côté «esbrouffe» qui cherche l'objet original, inattendu, inhabituel, l'objet de prix, rare et convoité, l'a poussée récemment vers un parfum qu'on ne peut faire venir que de l'avenue très sélecte de Rodéo Drive à Los Angeles, par correspondance (ce qui évite le prix du billet d'avion).

Parfum de jour: Giorgio de Giorgio, Rodéo Drive.

Parfum du soir: Ivoire.

Andrée Lachapelle (scorpion). La supra-féminine, charmeuse, élégante Andrée a en commun avec Dominique, une détermination sans faille vis-à-vis des buts à atteindre, un sens de l'humour bien trempé et... son parfum. Un seul. Auquel elle est fidèle depuis sa découverte et qui imprègne toute sa garde-robe, sa lingerie et sa literie.

Parfum jour-soir: Ivoire de Balmain.

Reine Malo (sagittaire). Cette jeune femme bien équilibrée, sérieuse et responsable a un désir constant d'évasion et une passion non retenue pour les voyages. Ca se traduit par des émissions où il est question de petits et longs parcours... et par le choix d'un parfum soir dont le nom est déjà tout un programme d'escapade exotique.

Parfum de jour: Anais-Anais de Cacharel.

Parfum du soir: Fidgi de Guy Laroche.

Louise Marleau (vierge). Une certaine langueur naturelle, une grâce innée, une voix de confidences voilées ont nimbé Louise Marleau d'une aura de romantisme que son parfum de jour ne fait qu'accentuer.

Parfum de jour: Anais-Anais de Cacharel.

Parfum du soir: Calèche d'Hermès.

Suzanne Monange (poisson). Femme active. Dédiée à ses causes (qui sont multiples). Coeur tendre s'il en fut. «Cher toi» en est une belle preuve, elle porte un parfum romantique et pourtant gai, en deux versions.

Parfum jour: Oscar de la Renta — eau de toilette —.

Parfum soir: Oscar de la Renta — extrait —.

Suzanne Lévesque. Vive. Dynamique. Enjouée. Un peu «grippette», elle cherche dans un parfum tout le côté sensualité profonde que son attitude et son apparence physique semblent démentir. Les deux soeurs, — Francine Chaloult est son aînée, — ont des goûts similaires.

Parfum du jour et du soir: Tubéreuse de Jean Laporte,
l'Artisan Parfumeur.

Véronique Béliveau (verseau). Une jeune femme avant-gardiste, qui voit loin et n'épargne aucun effort pour réaliser ses projets futurs. Il lui faut une eau fraîche pour l'action intense du jour. Le soir, elle célèbre dans la joie.

Parfum du jour: Ôde de Lancôme.

Parfum du soir: Joy de Jean Patou.

Mariette Lévesque (balance)... ascendant scorpion, c'est important. Mariette, qui dans sa vie sociale se disperse et se dépense en cent activités différentes, est intimement fidèle à un seul parfum. Elle le diffuse sur sa lingerie et l'ourlet de ses vêtements le jour, et non sur sa peau pour que l'odeur en soit plus légère. Elle complète, le soir, par toute la gamme des produits de bain de la ligne.

Parfum de jour: 7ième Sens de Sonia Rykiel (eau de toilette).

Parfum du soir: 7ième Sens de Sonia Rykiel (extrait).

«La hâte dans laquelle vivent les femmes actives, les femmes qui ont une place dans la société d'aujourd'hui, laisse de la place au raffinement.»

Yves St Laurent

10 femmes de carrière et leurs parfums

J'ai voulu vous présenter dix femmes de carrière, resplendissantes, splendides.

Chacune d'elles prouve en une image — qui comme l'on sait vaut mille mots — que la période des «sois belle et tais-toi» est bien révolue. Que l'on peut être belle et brillante. Éblouissante par l'esprit comme par le corps. Fascinante par ses dires... et son sourire.

À travers leurs parfums, elles se révèlent un peu à vous. Ce qui les guide dans leurs choix relève davantage de leur tempérament que de leur signe.

Le jour, elles vont vers des odeurs vivifiantes, stimulantes, toniques, telles: Miss Dior; First; Cristalle.

Le soir, elles donnent dans la troublante sensualité avec entre autres: Shalimar; Opium; Mystère.

C'est un sain équilibre. Peut-être la recette à succès de ces femmes réussies du Québec.

Nora de Nevery, présidente de l'Institut Nora de Nevery.

Une femme super-dynamique qui a le don de motiver son entourage vers un mieux-être.

Parfum de jour: Calandre de Paco Rabanne.

Parfum du soir: Un mélange de tubéreuse et de jasmin spécialement réalisé pour elle par l'Artisan Parfumeur.

Francine Chaloult, présidente de «Le Bureau de Francine Chaloult».

Une femme d'action dont on ne peut se défendre d'adorer le rire.

Parfum de jour: Diorissimo de Dior.

Parfum du soir: Un parfum à base de tubéreuse fait pour elle par l'Artisan Parfumeur.

Marie Choquette, présidente des Femmes Journalistes d'Ottawa. Présidente de B.A.C. Associés — Bureau de conseillers en communications. Vice-présidente de B.A.C. International — conseillers en gestion.

Marie c'est la vie. La puissance d'action sous-tendue par un sens de l'humour inimitable.

Parfum de jour: Anais-Anais de Cacharel.

Parfum du soir: Shalimar de Guerlain.

Claudette Bouffard, directrice des relations extérieures de l'Hôtel Centre Sheraton.

Un pouvoir de persuasion par la douceur forte.

Parfum de jour: Lauren de Ralph Lauren.

Parfum du soir: Mystère de Rochas.

Micheline Bouchard, attachée commerciale, vice-présidente commerciali-sation. Responsable du développement de marché dans la métallurgie et le trans-port, section industrie lourde à Hydro-Québec.

La force des réalisations positives, motivée par la joie profonde du travail accompli en toute perfection.

Parfum de jour: Chanel No 5.

Parfum du soir: Mystère de Rochas.

Marie Bernier, vice-présidente, relations publiques et gouvernementales de Nordair.

Une main de fer dans un gant de velours. Un charme indéniable, qui aide à faire passer le tout.

Parfum de jour: Chloé.

Parfum du soir: Halston.

Diane Rock, directeur marketing de l'Hôtel Ritz -Carlton.

Ici, c'est la persuasion par la force douce. Un pouvoir tout aussi agissant.

Parfum de jour: Oscar de la Renta.

Parfum du soir: Joy de Jean Patou.

Marie Josée Drouin, directeur de l'Institut Hudson du Canada. (Groupe de recherche spécialisé dans les pronostics économiques, sociaux, les tendances politiques et la planification stratégique.)

Une femme de tête... dont on ne peut s'empêcher d'admirer les yeux.

Parfum de jour (hiver): First de Van Cleef & Arpels. (Tout désigné pour cette femme qui assiste aux innombrables «premières» de son mari, le réputé chef d'orchestre Charles Dutoit.)

Parfum de jour (été): Cristalle de Chanel.

Parfum du soir: Amazone d'Hermès.

Colette Chabot, présidente fondatrice de la station radiophonique CIME FM, «la radio des cimes».

Une rayonnante qui transmet à toute la population ses ondes positives et bénéfiques sous la forme la plus agréable qui soit: la musique.

Parfum de jour: Eau folle de Guy Laroche.

Parfum du soir: Casaque de Jean Albert
(malheureusement discontinué chez nous).

Johanne Jacobs, premier vice-président de Christian Dior Canada.

Une force conquérante, enrobée de pure élégance.

Parfum de jour: Miss Dior de Dior (comme il se doit).

Parfum du soir: Dior-Dior, (discontinué chez nous. Mais Paris n'est jamais très loin).

Remerciement

Louise Pomminville n'a jamais cessé de créer. Depuis les Beaux-Arts et Paris où elle s'est perfectionnée à l'atelier d'émaux de Pierre Bruandet, elle a touché à toutes les disciplines. Le batik ou l'émail lui ont procuré autant de plaisir que le dessin ou la gravure.

Ses superbes volumes de «Pitatou» — ce merveilleux oiseau de la forêt de nulle part — lui ont valu quatre Oscars et le Premier Prix d'Illustration de livre pour enfants de l'Association «The Look of Book». Un Premier Prix d'Illustration a également couronné son travail pour un conte de Gabrielle Roy.

Assistante de Claude Lafortune pour la sensationnelle série d'émissions «La Bible en papier», elle vient de terminer une énorme murale de quinze pieds pour la bibliothèque Emile Nelligan, à Laval.

Louise «Pomme», comme l'appellent affectueusement ses intimes, porte Nahéma de Guerlain, le jour... et Grain de Folie de Nicky Verfaillie, le soir.

Sommaire

Lithographié au Canada
sur les presses de
Métropole Litho Inc.